Collection **marabout s**

D1584275

Afin de vous informer de toutes ses publications, **marabout** édite des catalogues où sont annoncés, régulièrement, les nombreux ouvrages qui vous intéressent. Vous pouvez les obtenir gracieusement auprès de votre libraire habituel.

Du même auteur :
Guide de la vie intérieure
(le hameau)
Anodin ou l'écriture merveilleuse
(hallier)
La connaissance de soi par les tests
(marabout MS 637)

TARA DEPRÉ

L'Art de la Négociation

marabout

Négociation :
*Action de discuter les affaires
communes entre deux parties
en vue d'un accord*

Sommaire

Introduction

Revoyez défiler devant vos yeux les images de la journée que vous venez de vivre : le garagiste a refusé de prendre votre voiture en réparation et vous avez dépensé des trésors de patience pour le persuader de s'en occuper dès demain, votre femme vous a téléphoné au bureau pour vous proposer d'aller au cinéma ce soir et vous l'avez persuadée que vous préfériez passer la soirée devant la télévision, à la sortie de l'école votre fils a essayé d'obtenir de vous un nouveau jouet électronique que vous lui avez refusé, ensuite vous avez passé un long moment à discuter d'un nouveau contrat avec votre patron, puis votre femme de ménage a voulu que vous engagiez aussi sa sœur, qui arrive du Portugal, car elle trouve qu'elle a trop à faire, mais, n'étant pas Crésus, vous avez courtoisement refusé, etc.

Chacun de ces événements est une négociation, ce que nous ne réalisons pas pleinement, car le terme même de négociation nous fait plutôt penser au monde des affaires, de la vente, ou de la politique. Et pourtant, nous dépensons quotidiennement beaucoup d'énergie à négocier. Avec plus ou moins de bonheur, d'ailleurs...

Qui de nous, en effet, ne s'est jamais posé les questions suivantes :
— comment faire admettre mon point de vue?
— vais-je parvenir à vendre mes produits?
— faut-il que j'attaque le premier?
— après tout, à quoi bon, je n'essaierai même pas de convaincre?
— serai-je capable de conclure ce marché?
— trouverai-je un terrain d'entente avec mon interlocuteur?
— pourrai-je supporter qu'il refuse mes conditions?
— et si je décidais, malgré les conséquences, de couper court à tout cela?

A part quelques individus qui semblent réussir tout ce qu'ils entreprennent, les autres s'angoissent, s'énervent ou se paralysent. C'est normal, car il est difficile de négocier en douceur, sans léser la partie adverse ni se léser soi-même : il faut du tact, de la subtilité et une bonne compréhension de l'autre. Lorsque ces qualités nous font défaut, il arrive que nous en ressentions un certain malaise. Et comme il n'existe aucun moyen pour échapper aux multiples négociations qui s'imposent à nous jour après jour, mieux vaut apprendre vite à devenir un bon négociateur.

● **Comment?**
D'abord, en faisant un examen approfondi de *douze situations-types* de négociation, illustrées d'exemples vécus et d'indications qui vous permettront de faire face aux principaux cas de figure. A l'issue de ce premier gros chapitre, vous disposerez déjà de nombreuses réponses concrètes qui vous

amèneront, chemin faisant, à prendre du recul pour découvrir, au second chapitre, les enjeux passionnels et psychologiques qui constituent l'arrière-plan de toute négociation, mélange complexe de *neutralité*, d'*émotion*, de *communication* et de *création*, quatre éléments que vous saurez doser à votre tour pour que vos négociations deviennent vos propres «mises en scène».

C'est alors que vous pourrez aborder le troisième chapitre, celui des *négociations les plus difficiles*, celles que nous avons parfois à traiter avec des interlocuteurs sans scrupules. En effet, j'ai tenu à leur faire une place, sinon cet ouvrage ne serait pas réaliste.

L'analyse de ces faits objectifs devant imperceptiblement vous conduire à vous interroger sur vous-même, le quatrième chapitre se compose principalement de questionnaires-flashes dont le but est de définir votre propre style de négociateur. Sans doute à votre grande surprise, vous y découvrirez que vos réponses et vos réactions sont souvent répétitives. Autrement dit, quand vous croyez vous adapter à une situation, en fait, vous ne faites que reproduire vos *automatismes*. Prendre conscience de cela vous permettra de discerner les automatismes de vos interlocuteurs. Ainsi, vous aurez en mains tous les atouts : pratique, psychologie, théorie, lucidité, pour libérer en vous de multiples possibilités.

Ce tour d'horizon complet de la négociation est destiné à faire de vous non pas un négociateur «robotisé», réagissant comme un ordinateur aux données d'un problème, mais un négociateur sensible, vivant, capable d'assumer en douceur et avec naturel n'importe quelle négociation, de la plus

CHAPITRE 1

Les 12 situations-types

Qu'elles soient d'ordre privé ou professionnel, les négociations nous prennent souvent au dépourvu. Il existe des gens qui sont persuadés de réussir beaucoup plus leurs négociations professionnelles qu'affectives. Brillants dans leur carrière, ils mènent une vie sentimentale déplorable et croient ne jamais pouvoir changer. Pourtant, bien que ce soit une réalité, c'est aussi un faux problème. Pourquoi ces foudres de guerre seraient-ils subitement stupides et désarmés devant une situation affective? C'est purement subjectif. Mais c'est surtout une méconnaissance totale de ce qui se passe dans toute négociation.

En effet, quelle que soit la situation, une négociation comporte toujours quatre composantes immuables :

— deux personnes essayant de trouver un accord commun

— l'émotion respective de chacune de ces personnes

— le message invisible en filigrane derrière leurs paroles

— l'enjeu final, ou but de la négociation.

Cette équation est la base de toute négociation. Et le grand problème de cette équation est bien sûr l'émotion.

C'est cette émotion qui fait dire à beaucoup «je suis nul (ou nulle) dans ma vie affective, mais je réussis dans mon travail». Dans leur travail, ces personnes ne sont pas submergées par leur émotion lorsqu'elles discutent d'un contrat. Par contre, devant leur épouse, leurs enfants ou leur fiancé, l'émotion s'amplifie et les submerge, et elles perdent pied, oubliant que la base d'une négociation réussie repose sur les faits objectifs (voir page 17).

Cette équation se retrouvant dans chaque négociation, j'ai répertorié les *douze situations-types* auxquelles nous sommes confrontés. En les étudiant et en voyant comment nous pouvons procéder dans chacune de ces situations répétitives, nous serons capables d'y faire face. C'est-à-dire de devenir un *bon négociateur,* réagissant avec intelligence, souplesse, intuition, calme, humanité et... humour à toutes les situations.

Voici la liste des douze situations :

1. Situation dans laquelle l'autre a plus de pouvoir que vous
2. Situation dans laquelle l'autre semble en savoir plus que vous-même sur vos besoins et vos désirs
3. Situation qui se présente inéluctablement comme une épreuve de force
4. Situation ou l'autre ne partage aucun de vos points de vue
5. Situation où l'autre ne semble pas soumis aux mêmes impératifs que vous
6. Situation où l'autre est inférieur à vous
7. Situation qui survient après une brouille ou après la rupture complète du dialogue
8. Situation qui survient à l'improviste
9. Situation où vous croyez ne pas être vraiment impliqué
10. Situation où vous négociez pour quelqu'un d'autre
11. Situation où vous refusez de négocier
12. Situation où l'autre refuse de négocier

Etudions ces situations l'une après l'autre.

1. L'autre a plus de pouvoir que vous

Cela vous est déjà arrivé, c'est certain. Et cela vous arrivera encore. C'est pourquoi il vaut mieux apprendre à s'en sortir avec élégance. Et surtout à ne pas pâtir du désavantage évident qui vous est imparti dans une telle situation. Voyons comment faire, en étudiant le cas d'Agnès, 28 ans :

Après avoir effectué différents stages «sur le tas» dans des boutiques de décoration, elle sollicite un emploi de décoratrice dans une maison assez importante. Elle a trouvé l'annonce dans un quotidien. On y spécifiait qu'on demandait une personne très expérimentée. Jusqu'à présent, elle n'a été qu'assistante. Mais l'emploi lui plaît beaucoup, car elle aime le style de la maison. Pour elle, ce serait une promotion importante d'être engagée. Le patron a seul le pouvoir de cette décision. Quadragénaire sûr de lui, dynamique, il est assez intimidant et très exigeant sur le niveau demandé à ses collaborateurs.

● **Comment procéder :**
— la veille, Agnès devrait réunir tous les éléments de son curriculum vitæ;
— avoir clairement en esprit tout ce qu'elle a réalisé, et surtout tout ce qu'elle aimerait réaliser dans le futur;
— être capable de citer au moins deux des créations de la maison;
— préparer tous les arguments qu'elle développera le lendemain au cours de l'entretien;
— mettre au point (et cela est valable dans tous les cas où on est demandeur d'emploi) la tenue et le maquillage qu'elle portera. Ni trop, ni trop peu. La maison est «dans le vent», ne pas arborer une tenue de dame patronnesse. Mais pas d'avant-gardisme outrancier quand même.

Lorsque quelqu'un a plus de pouvoir que vous, l'idée de base est de lui démontrer que, même si vous êtes en quelque sorte son obligé, il n'en reste pas moins vrai que lui aussi gagnera beaucoup en vous engageant. Ainsi donc, pendant l'entretien, la **direction** d'Agnès sera donc de bien indiquer quels avantages son patron va tirer de sa future collaboration. Mais elle doit le faire sentir nettement, sans être «lourde». Ne pas insister, mais être concrète, réaliste. **C'est un fait objectif** qu'elle présente, et non une requête.

Pour cela, il faudrait qu'elle soit elle-même persuadée de sa propre valeur et de son efficacité. Si son patron fait des objections comme «je veux une personne très expérimentée, ce qui n'est pas votre cas...» Agnès doit répondre en positivant, c'est-à-dire : «les stages que j'ai effectués m'ont apporté l'expérience la plus précieuse, celle que l'on acquiert "sur le tas", dans des conditions parfois difficiles. Je peux faire face à des situations très imprévues, d'ailleurs je peux vous le prouver si vous me mettez à l'épreuve.» Et elle peut alors enchaîner sur ce qu'elle a à offrir : sa créativité, ses idées, ses projets etc.

L'enthousiasme est un excellent moteur pour réussir ce type de négociation. Si Agnès est très motivée et le montre, ce sera difficile de lui résister. Si elle dit clairement qu'elle a très envie de cet emploi et se sent capable de l'assumer, cela laisse entendre qu'elle sera très efficace. De plus, dans tout ce qui se dit au cours d'une négociation, existe un **message invisible,** qui passe à travers les paroles et fait impression, que l'on s'en rende compte ou non. En ce qui concerne Agnès, elle doit laisser passer à travers son discours le message suivant : «je reconnais votre autorité et vous avez le pouvoir, d'accord. Alors, aidez-moi et donnez-moi ma chance, puisque vous êtes si puissant. Vous ne le regretterez pas.» Bien sûr, cela doit «passer» sans aucune obséquiosité ni ambiguïté. C'est une question de doigté et de spontanéité. En étant enthousiaste, directe, franche, en montrant clairement ce dont elle est capable, Agnès peut faire passer ce message.

● **Pour résumer les grandes lignes :**
— connaissance parfaite de son dossier et de ce qu'on peut apporter par sa collaboration ;
— motivation et enthousiasme ;
— certitude que l'interlocuteur a intérêt à vous engager ;
— complicité détendue pour atténuer le rapport de forces, et message invisible : «donnez-moi ma chance».

● **A éviter :**
— l'obséquiosité ;
— son inverse, la provocation (le style «vous êtes peut-être fort, mais je ne vous prends pas au sérieux») ;
— une trop grande complicité. Complice, oui, familier non. Pour doser une complicité agréable, il faut deviner à quel type de négociateur on a à faire et établir une relation équilibrée selon qu'il est agressif, fataliste, angoissé... Nous aborderons ce point un peu plus tard ;
— le fatalisme. Pas question de faire marche arrière si vos arguments ne marchent pas dès le début. Continuer en se rappelant toujours que si vous êtes motivé et enthousiaste, l'autre n'hésitera pas à faire un effort dans votre sens.

Le point de non-retour et sa négociation

La vie affective fourmille de situations dans lesquelles l'autre a plus de pouvoir que nous. Ainsi

Daniel, 22 ans. Il est en deuxième année de méde-
cine (études entièrement payées par ses parents), et
il voudrait épouser une jeune femme, étudiante elle
aussi. Son père est contre ce mariage, estimant
qu'ils sont trop jeunes et **dépourvus de moyens
financiers.**

C'est typiquement une situation comportant un
lourd passé d'émotions non-exprimées qui empoi-
sonnent la négociation. Le pouvoir financier de son
père énerve au plus haut point Daniel qui réagit
avec violence. Cela se termine toujours en dispute.
La conclusion du père est «marie-toi si tu y tiens, tu
es majeur, mais ne compte plus sur moi pour t'en-
tretenir». Celle du fils est «je ferai ce que je veux et
d'ailleurs je peux me passer de son argent».

Il n'y a plus de négociation possible, car ils sont à
un point de non-retour, avec un problème non ré-
solu, ce qui les rend malheureux tous les deux. Mais
il n'y a pas de problèmes sans solutions : car, dans
tout rapport de forces affectif, celui qui a moins de
pouvoir que l'autre a l'un des deux comportements
suivants : ou bien il se révolte et fait de la provocation, ou bien il joue au soumis, à l'hypocrite, tout en
rongeant son frein. Mais dans aucun des cas, l'autre
n'est perçu comme un individu à part entière, ayant
lui aussi des motivations et des sentiments. Il est
perçu comme un détenteur de pouvoir, et rejeté.

La première chose que Daniel doive faire, c'est
de démystifier pour lui-même l'impact que le pouvoir financier de son père a sur lui, pour se dégager
de ses émotions négatives.

○ *Voici les questions auxquelles il doit répondre :*
— Est-ce que le pouvoir financier de mon père me

fait peur? Me met en colère? M'angoisse? Me donne un sentiment d'impuissance? De fatalisme? D'agressivité? D'échec?

— Comment puis-je dissocier cette image de la personnalité réelle de mon père? (en voyant ce que je ressens pour lui quand je fais abstraction de son pouvoir, en repensant à nos bons moments ensemble, à nos complicités, nos goûts communs etc.).

— Quelle action puis-je faire pour éviter ce sentiment négatif lorsque je négocie avec lui? (voir page 167, le travail sur les émotions). Comme il connaît bien son père, Daniel peut également dédramatiser son émotion en se mettant «dans la peau» de son père. Il essaie de sentir de l'intérieur les mille pensées, sentiments, émotions, de son père, en les dégageant du contexte de la négociation. Par la reproduction de ses gestes, ses paroles, ses tics de langage etc., il brosse ainsi une sorte de tableau personnel de son père. Et il le voit alors sous un autre angle, en oubliant ses propres réactions émotionnelles. La situation lui apparaît alors sous un angle beaucoup plus objectif. Ainsi, au moment de la négociation :

— la **direction** de Daniel est de focaliser son attention sur le sujet à débattre et non sur les émotions. Du concret, toujours du concret, et non pas des phrases entrecroisées comme dans un match de ping-pong. Pour demeurer objectif, il faut faire attention aux pièges de la conversation. Par exemple, si son père dit : «je ne crois pas que cette jeune femme te convienne, elle est trop peu réaliste»... Le piège pour Daniel serait de protester, «je t'interdis de la juger etc.». A éviter absolument. Au contraire, il doit enchaîner, attendre le bon moment pour exprimer ce que lui pense « je pense qu'elle m'équilibre et m'aidera dans la poursuite de mes études. Elle n'est pas un frein, mais un stimulant »...

— Daniel doit garder comme direction l'expression concrète de ses désirs, ses projets et la motivation de ceux-ci. Il doit pouvoir démontrer quels sont les avantages réels que lui apporte son mariage et aussi les inconvénients. Et il doit pouvoir faire la même chose pour son père : quels sont les avantages et inconvénients de cette situation pour son père ;

— il est important de bien marquer l'estime qu'il éprouve pour son père. Le terrain d'entente doit se trouver sur une base d'estime réciproque : c'est un problème commun qu'ils ont à débattre, ils n'ont aucune raison d'entrer en guerre. Il est toujours positif de bien faire comprendre qu'on considère l'autre comme un allié potentiel et non comme un ennemi.

● **Pour résumer les grandes lignes :**
— travailler préalablement sur l'émotion ;
— focaliser l'entretien sur les faits objectifs ;
— faire comprendre que l'on est deux pour résoudre ce problème ;
— garder son calme et ne pas réagir aux phrases qui pourraient induire une approche non plus objective mais passionnelle.

2. Quant l'autre paraît en savoir plus que vous sur vos besoins...

Rien de plus agaçant... Qui n'a jamais entendu des phrases comme «vous verrez, je sais que c'est la solution qui vous convient», ou «je connais ce problème mieux que vous, et je peux vous dire...» La caricature de cette situation se retrouve quand nous sommes aux prises avec un vendeur entreprenant.

L'enjeu consiste alors à déjouer ses pièges et à n'acheter que si l'objet en vaut vraiment la peine. On peut aussi partir sans rien acheter mais le difficile est de ne pas se mettre en colère, ou de ne pas se sentir coupable, perplexe ou hésitant. Car comment savoir si, après tout, l'interlocuteur n'avait pas raison?... C'est la grande difficulté de ce type de situation : se faire une idée juste de la réalité et agir calmement en fonction de cela. Or, quand on a à traiter avec quelqu'un qui semble connaître nos besoins mieux que nous-même, il est fondamental de savoir d'où lui vient sa certitude. C'est à partir de cela que l'on pourra trouver une bonne direction pour réussir la négociation.

Imaginez que vous êtes une jeune femme employée dans un service de télécommunications depuis trois ans. Vous demandez une *augmentation* bien légitime. Votre chef hiérarchique vous propose alors de vous muter dans un autre service où vous devrez apprendre des techniques nouvelles pour vous. Vous y serez directement sous ses ordres. Et vous comprenez que vous n'obtiendrez votre augmentation qu'à cette condition. Vous hésitez, bien sûr, craignant de ne pouvoir bien vous adapter et n'ayant pas envie de changer de service, de collègues et d'habitudes. Mais votre patron vous fait miroiter qu'il a arrangé tout cela pour votre bien. Il dit des phrases comme «vous verrez, vous serez très contente dans ce service, j'ai décidé cela parce que je vous estime...» Votre désir, à vous, était de rester où vous êtes en étant augmentée. Mais vous craignez de vexer votre patron en vous montrant réfractaire à ses bonnes intentions...

● **Comment procéder :**
— votre première direction va être de découvrir la motivation réelle de votre interlocuteur. Il agit ainsi soit pour son intérêt personnel (et c'est à vous de trouver quel est cet intérêt), soit il est véritablement altruiste et sincère (et vous devrez le convaincre que vos besoins réels sont différents de ce qu'il croit);
— comment trouver la motivation de l'interlocuteur : généralement, quand on perçoit un message caché derrière le discours de l'autre, on a tendance à ne pas clarifier la situation, ou alors à attaquer de front en étant trop direct. Dans les deux cas, c'est une erreur, surtout quand on traite avec un supérieur hiérarchique. Il m'arrive souvent de conseiller la tactique du «coup de théâtre» : déclarer avec sincérité et émotion qu'on est bouleversé par cette nouvelle et que c'est une catastrophe d'être obligé de changer de service. C'est l'une des rares fois où il est efficace d'utiliser l'émotion dans une négociation. Cela provoque une réaction chez l'autre qui s'attendait à vous voir content, et vous trouve effondré par sa proposition. Votre interlocuteur se met ainsi plus clairement à jour. Il se peut, alors que vous découvriez qu'en fait, votre interlocuteur a des désirs inavouables en ce qui vous concerne et veut vous rapprocher de lui par ce biais tortueux! Situation très délicate et très pénible, mais fréquente. Dans ce cas, il faut éviter :
— l'indignation;
— les sentences perfides, du genre «les hommes sont tous les mêmes»;
— un ton ironique, glacé, ambigu.

● **Mais il faut aussi :**
— faire abstraction du message caché, et faire comme si vous n'aviez toujours pas compris son projet secret;
— exposer avec foule de détails vos besoins réels et vos motivations;
— attirer constamment l'attention sur le fait que vous avez droit à une augmentation. Insister sur le fait que vous ne demandez pas une faveur, et que vous êtes indispensable dans votre service;
— sérier le problème : discuter l'augmentation maintenant, et reporter à plus tard l'éventuel changement de service (ce qui vous fera gagner du temps);
— il se peut que votre patron ait les meilleures intentions du monde et manque seulement de psychologie en vous proposant ce changement. Il a juste profité du fait que vous demandiez une augmentation pour évoquer ce problème, croyant que c'était une bonne solution. Dans ce cas, évitez surtout de prendre une position de défense ou de victime. Au contraire, exposez clairement vos projets et vos besoins;
— positivez l'idée de votre interlocuteur, ne lui donnez pas l'impression qu'il a émis une pensée stupide, mais restez ferme sur votre position;
— votre **direction** : arriver ensemble à un accord dans lequel vos différentes positions trouveront un équilibrage harmonieux. Trouvez d'autres suggestions à faire, temporisez, et ne perdez pas de vue que votre objectif reste votre augmentation.

○ Précisons aussi un détail qui a son importance aussi bien dans cette situation-type que dans toute négociation en général : c'est le *lieu de la négociation*. L'endroit en effet a son importance, car les gens ne sont pas dans la même disposition d'esprit selon qu'ils négocient dans leur propre bureau, dans celui de l'autre, dans un restaurant agréable ou dans un café bruyant. C'est pourquoi, vous devez toujours être très prudent sur le choix du lieu de votre rencontre.

Par exemple, si vous soupçonnez un message du genre invite sexuelle chez votre interlocuteur, vous allez éviter de vous rencontrer dans un endroit trop intime, trop feutré, où il risque de découvrir plus précisément ses batteries. De même, selon votre degré d'intimité avec la personne, vous choisirez l'endroit où vous vous sentirez tous deux le plus à l'aise pour discuter. Ainsi, si vous devez traiter un contrat important, le meilleur lieu sera votre bureau, si celui-ci est suffisamment prestigieux. Par contre, si le standing de votre bureau laisse à désirer, vous inviterez votre interlocuteur au restaurant, en prenant soin de réserver à l'avance votre table et d'être dans un endroit tranquille.

Le choix du restaurant est également une chose complexe : évitez le côté «tape à l'œil» destiné à impressionner l'autre. Si vous avez une entreprise modeste, inutile de vous ruiner inconsidérément pour un oui ou pour un non. Invitez dans des restaurants correspondant à vos moyens. Exceptionnellement, si vous voulez frapper un grand coup, et quand il s'agit d'un personnage sensible au prestige, vous pouvez vous mettre en frais. Mais sachez doser cela, car ce n'est pas forcément un bon moyen pour vous faire valoir.

Le meilleur endroit pour négocier reste encore votre bureau, ou chez vous, selon le métier que vous exercez. Si c'est chez vous, veillez à votre image de marque et à votre tranquillité : rien de plus désagréable pour votre interlocuteur que d'ê-tre interrompu sans cesse par l'irruption de vos enfants, ou bien d'être reçu dans un fouillis de paperasses.

De toute façon, n'imposez jamais un endroit de négociation. Si vous sentez une réticence de la part de l'autre, négociez. Demandez-lui sa préférence, optez pour un lieu vous convenant à tous deux.

● **Pour résumer les grandes lignes**
Une règle générale quand l'autre semble connaître mieux que vous vos besoins : quelles que soient ses intentions, vous devrez maintenir en permanence une attitude décidée, sûre et adulte. Pas d'hésita-tion, pas de perplexité, pas de réaction rageuse ou perfide. Il doit sentir que, s'il a le droit de penser ce qu'il pense, vous connaissez vous-même très bien vos besoins et ne demandez qu'un compromis entre la réalité (vos besoins) et ses intentions (ses propo-sitions vous concernant).

3. L'épreuve de force

Cela fait deux semaines que ça dure, et aujour-
d'hui, ça y est, vous sentez que vous allez craquer...
Ce tapissier si compétent recommandé par une
amie s'avère être un escroc; vous l'aviez chargé de
retapisser le corridor et la chambre du fond. Il a
tapissé le corridor en deux jours de travail. Il devait
revenir le lendemain pour faire la chambre en une
journée. Mais vous ne l'avez jamais revu. Le lendemain, il a téléphoné pour dire qu'il avait un empê-
chement. Le surlendemain aussi. Et les jours suivants, il n'a plus donné signe de vie. Quand vous
téléphonez chez lui, il n'est jamais là. Et pourtant,
vous aviez payé d'avance 80 % de son devis.

C'est l'escalade classique vers le rapport de forces inévitable. Animé d'une légitime fureur, vous êtes prêt à porter plainte, à entamer un procès, à demander un huissier. Bien sûr, ce peut être une solution. Vous pouvez engager une action en justice pour récupérer votre argent, et engager pendant ce temps un autre tapissier plus scrupuleux. Mais ce sera long, coûteux, énervant, sauf si vous adorez les procédures compliquées et l'ambiance des palais de justice! Il est préférable d'essayer de régler ce problème en passant du rapport de forces à la négociation. Une négociation réussie est justement celle qui écarte le rapport de forces pour faire apparaître un terrain d'entente commun, dans lequel les négociateurs trouvent chacun des avantages.

● **Comment procéder :**
Commencez par analyser la situation en évaluant bien comment sont équilibrées les forces :
— le tapissier possède une force d'inertie évidente, aggravée par le fait qu'il a été presque intégralement payé. C'est pour cette raison qu'il n'est pas pressé de tenir ses engagements (vous avez commis l'erreur au départ de le payer trop, et il en profite);
— de votre côté, vous possédez la force du bon droit, de la légalité : vous pouvez faire un procès, il le sait. Mais il sait aussi que l'on a toujours des réticences à entamer une poursuite judiciaire. Il est certainement plus négligent que malhonnête, mais le résultat reste le même pour vous;
— première chose à faire : rencontrer le tapissier le plus vite possible. Si vos coups de téléphone ne servent à rien, déplacez-vous. Arrivez chez lui à

l'improviste et déclarez que vous ne partirez qu'après l'avoir vu. Il est évident que l'ambiance va être tendue. N'aggravez surtout pas les choses en étant agressive, au contraire : il est réellement essentiel de lui dire que vous l'estimez. C'est une règle de base qui donne de bons résultats. En effet, si vous faisiez sentir que vous le prenez pour un escroc, et qu'il le soit vraiment, il n'aurait aucun scrupule à continuer dans cette voie qui semble toute tracée. Par contre, en lui disant que vous le prenez pour un honnête homme qui a commis une négligence, il sera beaucoup plus tenté de mériter cette estime. Et dans les deux cas, qu'il soit très voleur ou très honnête, vous avez tout à gagner en plaçant le dialogue sur un terrain aimable et courtois ;

— enchaînez tout de suite en exposant clairement dans quel embarras il vous a mis. Ajoutez que son comportement est passible d'un procès, mais que si vous êtes là, c'est pour tenter de l'éviter ;

— ne le laissez pas trouver des excuses, coupez-lui la parole au besoin, agissez comme si vous étiez en train de faire un constat objectif qui ne souffre aucune interruption. En faisant cela, vous rééquilibrez le rapport de forces de votre côté, mais dans une neutralité objective ;

— terminez en posant l'ultimatum qui était le but de votre visite et de votre négociation : vous ne ferez pas de procès à la condition qu'il vienne demain finir son travail.

Votre **direction** générale aura donc été : fermeté et autorité. Vous êtes là pour faire valoir vos droits, ce n'est pas le moment d'entamer un dialogue qui conduirait à des considérations d'ordre privé sans intérêt pour vous. Mais facilitez lui sa décision en lui faisant comprendre qu'il est temps pour lui de se mettre à votre place. Il vous a lésé, il doit réparer au mieux. Ce n'est pas un ordre que vous donnez, vous demandez la réparation d'un dommage qui vous a été infligé.

● **A éviter :**
— le ton agressif et revendicateur, les menaces, l'air supérieur, le côté «mon brave, vous allez voir un peu de quel bois je me chauffe»;
— ou l'inverse : l'hésitation, la culpabilité.

Equilibrer les forces

Les situations de rapport de forces sont très fréquentes, et, il faut bien le dire, très pénibles. Elles dégagent toujours un désagréable relent de chantage matériel ou affectif. C'est pourquoi elles sont difficiles à ménager car elles font naître en nous des sentiments négatifs, colère, peur, impression d'impuissance. Potentiellement, toute négociation recèle la possibilité sous-jacente d'un rapport de forces. Et c'est justement pour détourner celui-ci au profit d'une entente cordiale et intelligente que nous avons besoin de bien maîtriser nos capacités de négociateur. Attention! Vous êtes peut-être vous-même très sensibilisé au rapport de forces : vous avez peut-être tendance à l'agression, à l'autoritarisme, à l'ultimatum. Ou bien dès que votre interlocuteur vous contredit, vous réagissez peut-être violemment, instaurant ainsi un affrontement. Dans ce cas, vous pouvez modifier votre attitude en travaillant sur le comportement agressif (voir page 157). A moins que vous ne préfériez par-dessus tout l'affrontement à toute autre forme de négociation. Mais c'est fatigant et risqué et cela donne de moins bons résultats que la négociation telle que nous la concevons ici. En effet, dans l'affrontement, il y a toujours un gagnant et un perdant. Donc, attendez vous à ne pas être *toujours* le gagnant.

Une des règles de la négociation réussie (nous le verrons en détail dans le chapitre théorique page 93) est d'orienter l'entretien vers les points qui permettent un échange humain et la création de nouvelles idées. Or il arrive bien souvent qu'on sente chez l'interlocuteur une tendance à oublier ces points-là et à revenir toujours sur «l'impasse», c'est-à-dire le lieu où il y a effectivement divergence de vues.

Imaginez que vous désiriez louer pour les vacances le chalet d'une personne dont une amie vous a donné l'adresse. Cette personne, appelons-la Marie, n'occupe pas le chalet à cette période et sera enchantée de gagner un peu d'argent grâce à cette location imprévue. Mais dès le début, son comportement est pénible : au téléphone, elle vous répond du bout des lèvres et demande que vous la rappeliez pour fixer un rendez-vous à sa convenance car «elle n'a pas que cela à faire». Quand le rendez-vous est enfin pris, vous trouvez une femme drapée dans un air hautain, qui vous accorde son chalet comme si elle vous faisait la charité, et annonce un prix plus élevé que prévu. Bien sûr, vous trouvant soudain mis dans une position de solliciteur, alors que vous ne l'êtes pas, vous êtes furieux. De plus vous tenez à garder l'ancien prix qui vous convenait mieux...

● **Comment procéder :**
— votre intérêt est de louer ce chalet qui ne vous coûtera pas de frais d'agence. Et de le louer au prix prévu, sans être considéré comme un quémandeur. Votre première **direction** va être tout simplement de rééquilibrer les forces en les réajustant à la réalité ; vous allez rapidement faire une synthèse de la situation et dire à Marie : «nous avons chacun intérêt à conclure cette affaire, vous, parce que vous allez gagner de l'argent, moi, parce que j'en perdrai moins que si je passais par une agence. Donc faisons au mieux pour que tout se passe bien.» ;
— en ce qui concerne l'augmentation de prix, vous devez aussi considérer la situation d'une manière objective et dire : «ou bien vous avez trouvé quelqu'un d'autre qui paie plus que moi et c'est pour cette raison que vous augmentez le prix. Ou bien vous avez augmenté le prix uniquement pour tenter votre chance, et je ne suis pas disposé à marchander. Je préfère m'en tenir au prix prévu, comme convenu.» Ainsi vous rééquilibrez les forces, et la négociation se déroule sur une base réelle et objective.

○ Il existe mille occasions de se trouver dans une situation de rapport de forces. *Pour remettre les forces à leur juste place,* vous devrez procéder comme nous l'avons vu, en tenant bien compte à chaque fois de la personnalité de votre interlocuteur, de la vôtre et de la situation. N'oubliez pas que le rapport de forces peut prendre une forme très pernicieuse, et poindre sans en avoir l'air dans les

relations apparemment amicales ou profession-nelles. Voici quelques situations fréquentes que vous avez peut-être déjà eu l'occasion de connaî-tre :
— vous avez prêté une chambre de votre apparte-ment à un ami en difficulté qui prétendait n'y rester que pendant un mois... et huit mois plus tard, il est toujours là, toujours en difficulté, et essayant de vous culpabiliser si vous faites mine de vouloir qu'il déménage ;
— vous êtes peintre débutant (ou chanteur, ou artisan, ou créateur), et un marchand désire vous acheter une partie de votre production. Alors que ce marchand était *a priori* un simple client, vous vous apercevez qu'il utilise le pouvoir de son argent pour vous proposer un contrat qui ne vous laisse plus aucune liberté (et lui donne 50 % de vos gains futurs) ;
— vous avez un ami (ou une amie) de longue date qui, sous prétexte de vous aider, finit par régenter insidieusement toute votre vie privée, s'insinue dans toutes vos décisions importantes, donne son avis sur tout ce que vous faites, bref, prend le pou-voir dans votre vie ;
— vous collaborez à un projet destiné à lancer un produit nouveau, et le patron de cette entreprise vous demande un maximum de travail fort mal payé car «quand ça va marcher, vous serez payé au cen-tuple...»

● **Pour résumer les grandes lignes**
Nous pourrions poursuivre l'énumération, mais ce qui est plus important, c'est de comprendre que, quelle que soit la situation de rapport de forces, elle aura déjà beaucoup moins d'impact négatif sur vous

si vous n'y réagissez pas émotionnellement. Votre interlocuteur a, c'est flagrant, le goût du pouvoir et veut l'imposer? C'est son problème, pas le vôtre. Votre seul but est simplement de rééquilibrer les forces calmement, d'annoncer tranquillement votre position, sans entrer dans ce jeu gagnant-perdant qui n'est pas le vôtre. N'oubliez pas qu'il existe des moyens préventifs pour éviter le rapport de forces : pensez-y *à l'avance*. C'est parfois difficile d'anticiper, mais cela évite bien des drames. Par exemple, séparez vos biens au moment du mariage, pour éviter la dramatique question du partage en cas de divorce, ne dépendez jamais financièrement de quelqu'un (ami, époux, épouse, patron, parent), n'acceptez pas de contrat verbal et non signé, ne travaillez jamais dans des conditions plus ou moins floues, ne tolérez pas que votre patron vous réclame en dehors de vos heures de travail ou prenne n'importe quelle sorte d'ascendant sur vous, ne soyez pas trop permissif avec vos enfants (qui prennent très vite des habitudes de tyrans), etc.

Tous ces moyens préventifs se résolvent jour après jour, par des mini-négociations, qui vont porter leurs fruits dans le courant de toute une vie.

4. L'autre ne partage aucun de vos points de vue…

…Et, selon votre tempérament, vous aurez tendance à vous énerver en tentant d'imposer votre projet, ou à abandonner le projet avant même d'en discuter. Quand l'autre ne partage aucun de vos points de vue, vous pouvez déjà commencer, si vous vous en sentez capable, par le faire rire… C'est parfois incroyablement efficace, comme j'en ai eu récemment la preuve.

Anna, une amie, conduisait rapidement sa voiture dans Paris, lorsque très occupée à bavarder avec moi, elle a grillé un feu rouge. Inévitablement, son infraction fut suivie d'un coup de sifflet péremptoire, et un gardien de la paix la pria de se «garer sur le côté». Les négociations avec les représentants de la force de l'ordre symbolisent la situation dans laquelle l'autre ne partage aucun de vos points de vue!

— Vous venez de griller un feu rouge. Ça peut vous coûter cher, vos papiers, s'il vous plaît.

— Un feu rouge? Mon dieu, c'est affreux. Je bavardais, c'est absurde, je ne l'ai même pas vu. Mes papiers? Mais où sont-ils? Zut, je ne les ai pas... Vous comprenez, j'ai changé de sac ce matin, ils sont restés dans l'autre... Ah! zut,...

— Je constate que vous n'avez pas de vignette sur le parebrise, vous ne l'avez pas achetée, sans doute?

— Si, mais elle aussi est restée avec les papiers dans l'autre sac, ah! c'est trop bête, et moi qui suis déjà en retard, vous n'allez pas m'arrêter, n'est-ce pas?

Le dialogue se poursuivit sur ce ton absurde, tandis que l'agent relevait d'autres infractions sur la voiture d'Anna : pas de feu arrière, clignotant défectueux, pneus lisses. Mais bizarrement, l'air ahuri et effondré d'Anna, produisit un effet foudroyant dans cette négociation qui paraissait n'avoir aucune chance d'aboutir : l'agent riait de plus en plus dans sa barbe, et finalement, il la laissa partir sans le moindre procès-verbal et en lui faisant promettre de ne plus recommencer. D'une infraction grave, elle avait fait un sketch comique. Elle avait surtout eu la chance que ce sens comique trouve un écho chez son interlocuteur... Et elle avait ainsi échappé à une amende importante, en évitant une argumentation qui était indéfendable.

C'est l'exemple même d'une négociation réussie par le seul miracle du rire. Il n'existe aucune technique pour faire rire. Cela se passe, ou ne se passe pas. C'est une question de moment, d'inspiration... Mais c'est aussi un moyen extraordinaire pour désarmer l'adversaire dans une situation absurde.

L'antagonisme créateur

A part le rire, qui n'apparaît pas forcément et que l'on ne saurait considérer comme un moyen rationnel pour réussir une négociation, voici comment procéder lorsque l'autre ne partage aucun de vos points de vue. Supposons que vous soyez styliste. Vous êtes chargé de créer une collection de vêtements pour homme, avec un nouveau collaborateur, que nous appellerons Pierre. Mais vous vous rendez compte que Pierre n'a pas du tout les mêmes conceptions que vous : il veut des tweeds, des coupes sport, tient à telle ou telle marque de tissu, tandis que vous aviez basé votre collection sur des draps souples, ou des costumes sophistiqués.

● **Comment procéder :**
— d'abord, ne pas vous braquer. Au lieu de vous contrarier, dites-vous que cette situation va s'avérer positive car elle vous permettra de confronter

des points de vue et de devenir ainsi plus créatif. Pour écarter toute amertume «a priori» de votre esprit, posez bien vos propres motivations de négociation : quel intérêt ai-je à réussir une négociation avec lui, quels seraient les désavantages si je décidais d'interrompre notre collaboration, quels apports positifs gagnerons-nous à une compréhension mutuelle? Proposez une réunion à votre associé, dans laquelle vous négocierez l'ensemble du problème. Car si vous ne faites pas un entretien global, vous aurez du mal à résoudre vos divergences par une succession de mini-négociations.

Demandez-lui de faire avec vous une liste de la façon suivante :

Vos conceptions	Les conceptions de Pierre
classicisme	sport
tradition	nouveauté
prix de revient	prix de revient
fabricants désirés	fabricants désirés

— indiquez bien tous vos desiderata dans cette liste qui doit être détaillée. Vous êtes donc à même de confronter noir sur blanc tout ce qui vous sépare, et peut-être aussi de voir apparaître quelques points sur lesquels vous pouvez vous mettre d'accord. Maintenant vous pouvez analyser chacun de vos différends de façon à parvenir à une entente par rapport à ces divergences. C'est de cette manière que vous trouvez une possibilité d'être plus inventif. Car, contrairement à ce qu'on peut penser, ce sont les différences entre les intérêts, les motivations, les besoins et les croyances qui font la réussite d'une négociation. Il est beaucoup plus exaltant et passionnant de réussir une négociation avec une personne complètement opposée qu'avec

quelqu'un partageant déjà tous vos points de vue. De cet antagonisme peuvent jaillir des idées neuves qui rendront la situation passionnante et rentable. Pour vous faciliter les choses quand vous négociez avec une personne ne partageant pas vos points de vue, voici quelques questions à vous poser avant l'entrevue :
— quels sont ses opinions ?
— quels sont les croyances de mon interlocuteur ?
— en quoi diffèrent-elles des miennes ?
— comment pouvons-nous les faire se rejoindre ?
— quels sont ses intérêts ?
— comment peuvent-ils s'accorder aux miens ?

L'antagonisme est créateur, car il interpelle l'imagination. C'est pourquoi il ne faut pas se «braquer» quand on se trouve opposé à quelqu'un. Au contraire, on devrait s'en réjouir en pensant que c'est une occasion de se montrer plus imaginatif que d'habitude.

5. L'autre ne semble pas soumis aux mêmes impératifs que vous

C'est fréquent. Et vous devrez encore faire appel à votre imagination et votre esprit de création pour réussir cette négociation. Etre créatif, inventer des solutions nouvelles ne nous vient pas naturellement. Nous avons plutôt tendance à rester strictement dans le cadre du problème, estimant qu'il est déjà bien assez ardu comme cela.

Nous ne faisons pas assez preuve d'imagination car nous n'y sommes pas habitués, et aussi parce que cela nous déroute un peu. C'est une erreur. Car c'est de la profusion des idées, de la variété des opinions émises que naîtra la meilleure négociation. Etudions un cas de situation dans laquelle l'autre n'est pas soumis aux mêmes impératifs :

Sylvie travaille à mi-temps, de 14 heures à 20 heures. Son mari, Patrice, travaille à temps complet mais rentre à la maison à 19 heures. Ils ont deux enfants, Sylvie se charge de tous les travaux ménagers et ne parvient pas à obtenir de Patrice qu'il l'aide dans ces tâches. Chaque fois qu'elle aborde le sujet, l'entretien tourne mal. Le principal argument de Patrice est qu'il travaille toute la journée et que Sylvie dispose de plus de temps que lui. D'ailleurs, dit-il, elle gagne moins que lui. Il propose qu'elle s'arrête de travailler pour consacrer tout son temps à la maison et aux enfants, ce que Sylvie refuse car elle aime son job et veut gagner sa vie. Il est bien évident que, aussi bien professionnellement qu'affectivement, Patrice n'est pas soumis aux mêmes impératifs que Sylvie.

● **Comment procéder :**
— éviter complètement les émotions négatives inhérentes à ce genre de sujet. Ne pas ressasser les rancœurs et les revendications inconscientes qui risquent d'apparaître : ce n'est pas le moment. Le meilleur moyen pour éviter cela, sera de considérer le problème selon les critères objectifs, sous l'angle : «comment pourrions-nous donc organiser la vie à la maison?» et non pas «j'en ai assez, il va falloir que tu te décides à m'aider» (ce qui est un angle affectif et revendicateur et n'amène rien de bon). En effet, quand une négociation tourne à la dispute, c'est généralement parce qu'on pense être seul à avoir raison et à connaître la bonne solution. Une façon créative d'envisager les choses sera donc de considérer que l'autre a aussi des solutions valables à proposer et d'envisager comment les deux points de vue peuvent s'accorder;

— avant d'engager la négociation, Sylvie devrait poser un diagnostic de la situation. Voici un tableau qu'elle peut faire :

Les impératifs de Patrice	Les miens
Il travaille 8 heures par jour	Je travaille moins mais je rentre plus tard que lui
Il est pour «la femme au foyer»	Je ne veux pas quitter mon travail
Il considère que j'ai ma matinée libre...............	Je ne peux pas tout faire le matin
Il déteste toute tâche ménagère	Je peux lui suggérer quelques petits travaux qui m'aideraient
Il se dit fatigué	Moi aussi

Sylvie peut allonger cette liste à son gré. Elle pose ainsi les données d'un pré-dialogue, et comprend mieux les impératifs et intérêts réciproques.

— la **direction** de Sylvie pendant la négociation sera : «inventons ensemble des idées pour notre travail commun». C'est une façon positive d'amorcer le dialogue. Et l'effort d'imagination la nouveauté de la situation apporteront un côté stimulant et décontracté. Elle va créer aussi une atmosphère détendue, relaxée, pour négocier. C'est très important car la vie commune est source de mille tensions et non-dits qui risquent d'amener la dispute. Quand toutes les idées auront été exprimées, Sylvie et Patrice vont en faire la synthèse pour dégager celles qui sont à retenir. Le but est d'arriver à un compromis satisfaisant pour les deux personnes. Dans un premier temps, il ne faut pas viser trop haut ; Sylvie peut se contenter d'une légère amélioration (par exemple, son mari peut consentir à s'occuper d'une

seule tâche bien précise, faire les courses ou mettre le couvert). Ce qui compte, c'est qu'un accord soit conclu sur au moins un point ;
— Sylvie devra aussi rendre la décision de Patrice facile : c'est elle qui a mené la négociation, c'est elle qui doit l'amener à un accord aisé, agréable, avec humour. C'est dans un esprit d'équipe que l'accord doit se formuler pour aboutir à une amélioration.

L'objectivité

La vie professionnelle nous confronte elle aussi souvent avec ce type de situation. Vous vous êtes associé avec un ami pour fonder une petite agence de presse axée sur les reportages-spectacle. Votre participation financière est moins importante que la sienne. Mais en contre-partie, vous travaillez en tant que photographe salarié. Votre ami est gestionnaire et administrateur. Mais, après quelques mois, l'agence périclite. De surcroît, vous ne vous entendez pas très bien avec votre associé qui n'a pas les mêmes conceptions que vous. Comme vous venez de trouver un engagement dans un quotidien, vous lui faites part de votre désir de reprendre votre part et de quitter l'agence. La négociation est tendue, car votre associé n'a pas envie que vous partiez. Il voudrait continuer à faire tourner l'agence malgré le déficit et vous conserver comme actionnaire, car il n'en trouve pas d'autre. Son projet est d'emprunter pour élargir son budget, tandis que vous considérez que l'affaire ne pourra pas « remonter » au point où elle en est.

● **Comment procéder :**
— ne défendez pas votre position avec opiniâtreté. Le mieux vous comprendrez les intérêts de votre associé, le mieux vous trouverez des moyens pour concilier ses impératifs avec les vôtres. Votre *direction* sera de développer l'objectivité. Préparez-vous à l'avance en dressant une liste comme ceci :

Votre associé	Vous
projets et impératifs professionnels	projets et impératifs professionnels
ses raisons de continuer	vos raisons d'arrêter
ses conceptions de marketing..................	les vôtres
ses chances sur le marché	les vôtres
ses intérêts.................	les vôtres

— ensuite, pour négocier tous ces éléments que vous aurez sur le papier, faites-lui bien comprendre que vous allez vous réunir pour discuter ensemble selon ces faits objectifs. Car les impératifs différents sont en eux-mêmes des faits objectifs. Les définir ensemble pour voir où se trouve le point de rencontre est la base même de cette négociation. Celle-ci demeurera une forme d'association. Mais bien sûr, baser votre négociation sur l'objectivité ne veut pas dire qu'il ne faut considérer que vos critères à vous. Cela veut dire que vous devez ensemble faire une balance de vos critères réciproques. De ces faits objectifs, passez à la proposition d'exprimer de nouvelles idées. C'est en cela que réside la force de l'objectivité ;
— créez bien sûr une ambiance détendue. Et surtout n'attachez pas d'importance aux positions res-

pectives, mais aux intérêts respectifs. La position de votre associé est, grosso modo : «je veux continuer coûte que coûte à gérer cette agence.» La vôtre : «je pense qu'il est temps d'arrêter.» Laissez cela de côté, pour voir quels sont les intérêts qui se cachent derrière ces positions. Les siens : — cette agence lui convient, il veut une expansion. Les vôtres : — cet agence ne vous convient plus, vous voulez passer à autre chose.

C'est donc à partir de ces intérêts-là, objectifs, concrets, que vous négociez. Derrière eux, se trouvent toujours les besoins essentiels de chaque individu. En en tenant compte, vous aurez des chances de parvenir à un accord. N'oubliez pas que les besoins ne sont pas forcément l'argent. Ce sont aussi la *sécurité,* la *notoriété,* le sens de la *propriété,* l'*autonomie,* le *prestige,* et la *dépendance* aux facteurs économiques actuels. Et c'est en développant, cartes sur table, tous ces aspects, que vous aurez des chances de parvenir au meilleur accord possible.

6. Situation dans laquelle l'autre paraît inférieur à vous

Vous êtes patron et vous avez des collaborateurs. Ou bien vous avez une femme de ménage, une garde pour vos enfants, ou encore, on vient de vous attribuer une nouvelle assistante qui n'a pas votre expérience. Toutes ces situations font entrer en jeu la position sociale de personnes n'ayant pas le même statut que vous. Et c'est très délicat de négocier sans tomber dans le rapport de forces. Il existe bien sûr des gens qui se contentent d'ordonner lorsqu'ils traitent avec un «inférieur». Celui-ci, content ou pas, n'a plus qu'à s'incliner, ou à donner sa démission. Mais cette façon de faire expéditive est mauvaise, et elle fait deux mécontents : celui qui ordonne et celui qui obéit. En effet, cela n'a rien de réjouissant d'user de son pouvoir. Ça n'a jamais rendu personne heureux, et cela crée toujours des ennemis potentiels qui n'hésiteront pas à prendre leur revanche à la première occasion. En réalité, les gens qui se conduisent abusivement envers leurs «inférieurs» le font surtout par manque de jugement, par peur de perdre la face, par incapacité d'entrer dans une relation juste avec leur interlocuteur.

Nous allons voir comment effectuer cette négociation délicate qui nécessite un bon sens psychologique de votre part.

Dans ce type de situation, les positions sont toujours les suivantes : on vous fait une demande et vous seul pouvez trancher pour accepter ou refuser cette demande. C'est pourquoi, comme nous venons de le voir précédemment, il importe de ne pas focaliser sur les positions respectives, mais sur les intérêts qui s'y rattachent. Imaginez que votre secrétaire vous demande son après-midi pour aller chez le dentiste. C'est la troisième fois en deux semaines, et vous aviez vraiment besoin d'elle aujourd'hui. Comment faire? Vous pourriez refuser tout net. Ou alors accepter et vous débrouiller sans elle. Mais ça n'est pas une bonne solution car dans les deux cas un des protagonistes est lésé. Dans ce type de situation, ce qui compte, c'est que soient posés clairement les besoins qui se dissimulent derrière les positions.

Donc, il va falloir tirer au clair vos motivations respectives, en les exprimant. Votre **direction** sera : «comprenons ce qui ce passe pour engager une bonne relation».

● **Comment procéder :**
— c'est à vous de prendre l'initiative d'exprimer clairement vos propres besoins ;
— ouvrez le dialogue tout simplement : « je n'ai pas envie que vous vous absentiez car j'ai besoin de vous... » La négociation est donc placée sur un terrain objectif de bonne communication ;
— enchaînez en lui demandant quelles sont ses motivations réelles, ne peut-elle remettre ces rendez-vous répétitifs ?
— quelles que soient les réponses, vous négociez à présent sur un sujet qui a été ouvertement posé. D'un côté vous exprimez vos besoins, de l'autre, elle exprime les siens ;
— faites la synthèse de ce qui a été dit, dans une atmosphère de bonne compréhension. Et prenez ensemble une décision (elle s'engage par exemple à ne pas prendre des rendez-vous aux heures ouvrables, tandis que vous vous engagez à lui donner trois heures de congé tous les quinze jours si nécessaire, ou tout autre compromis profitable pour vous deux).

Quand vous négociez avec quelqu'un qui a un statut inférieur au vôtre, la **direction** sera toujours d'exprimer les motivations et de les objectiver. Ce simple fait détend l'atmosphère et efface la distance créée par la différence de positions. Vous vous mettez dans une situation de collaborateurs qui s'estiment l'un et l'autre, et non plus de « supérieur-inférieur ». Mais cela exige de la finesse psychologique, et une bonne compréhension de l'autre. Selon les interlocuteurs, vous modifierez votre attitude subtilement. Pas trop de familiarité, pas trop d'autoritarisme non plus. Veillez à bien équilibrer votre relation, sans forcer dans le côté paternaliste ou au contraire trop cassant.

Pour réagir contre leur situation «d'inférieur», il y a des gens qui s'ingénient à se montrer désagréables, comme pour s'affirmer. Il se peut que vous ayez une nouvelle assistante dans votre bureau. Plus jeune que vous, elle va s'efforcer de prouver sa force en manquant de savoir-vivre, en n'obéissant pas aux règles élémentaires de politesse. Elle vous traite mal uniquement parce que vous êtes «supérieur». Et c'est évidemment exaspérant. Vous risquez de faire un éclat. Mais avant d'en arriver là, dites-vous bien que c'est par faiblesse qu'elle agit ainsi. Prenez la donc à part pour lui expliquer les points suivants :
— contrairement à ce qu'elle pense, vous n'êtes pas un tortionnaire;
— vous ne voulez rien lui imposer;
— si vous lui donnez des indications, c'est parce que vous connaissez le métier;
— vous avez l'habitude de traiter les gens avec humanité, et vous désirez que la réciproque soit vraie;
— vous aimez travailler dans un esprit d'équipe;
— vous travaillez mieux dans une ambiance sereine et calme.

Le fait d'exprimer votre ressenti est une bonne façon de faire disparaître l'image négative qu'elle avait de vous, et de lui faire prendre conscience du ridicule de son comportement. Mais il se peut aussi que ça ne marche pas et qu'elle continue à agir comme par le passé. Auquel cas, faites comme vous voulez... Car on ne négocie bien que si on est motivé et si l'interlocuteur a une écoute suffisante. Il est inutile de se forcer à négocier dans le but «d'aider quelqu'un», parce qu'alors, la relation ne serait plus vraiment juste. Aussi, selon ce que vous comprendrez de l'autre, vous pourrez ou non agir dans ce type de situation.

7. Quand la négociation survient après une rupture des relations

Dans ce cas-là également, ne négociez que si vous en avez vraiment envie. Demandez-vous donc d'abord si vraiment vous êtes motivé pour renouer une relation avec votre interlocuteur.

Parfois, quand on est parvenu à un tel degré d'incompréhension avec quelqu'un, on est fermement décidé à ne plus jamais revoir la personne. Et c'est mieux ainsi, car il arrive qu'en essayant de «recoller les morceaux» le fossé se creuse encore plus.

Mais à l'inverse, il peut arriver qu'on trouve un terrain d'entente différent, après une brouille, et une négociation dans ce cas amène à un accord inespéré. Donc, si vraiment vous en éprouvez le désir, vous pouvez négocier après un conflit, en utilisant l'antagonisme créateur pour déboucher sur une situation nouvelle.

Voyons le cas de Marianne, 30 ans, qui vivait depuis trois ans avec Didier... jusqu'au jour, où lassée de leurs disputes, elle l'a brusquement quitté sans laisser d'adresse. Mais Didier, après des recherches, la retrouve et lui téléphone en demandant à la revoir. Après avoir hésité, Marianne accepte. Didier veut reprendre une vie commune, et Marianne hésite. Elle veut bien envisager de vivre à nouveau avec lui, mais pas de la même manière. Ce qui la rend très perplexe.

● **Comment procéder :**
— faire abstraction complète du passé. Il a été pénible et négatif, ce n'est pas la peine d'y faire allusion;
— par contre, il s'est passé des choses pendant le temps où elle était brouillée. Elle a évolué, Didier aussi. Elle doit exprimer ses besoins (pas ses positions), et amener Didier à le faire. Cela permet de voir où chacun en est, dans une neutralité respective;
— poser le terme du «contrat» : il veut revivre avec elle. Elle hésite. Analyser les intérêts respectifs ainsi que les motivations;
— tout est à construire sur d'autres bases. C'est le moment d'exprimer les idées qui viennent, les solutions nouvelles...

Peut-être à la fin de cette négociation, vivront-ils ensemble à nouveau. Ou peut-être pas, et décideront-ils de rester simplement bons amis. Mais l'essentiel est d'avoir eu l'occasion de déterminer leurs intérêts, leurs besoins, leurs motivations, en faisant abstraction des émotions négatives et en essayant de créer une relation nouvelle. Ce qui est important, c'est d'ouvrir la possibilité vers autre chose. Et c'est une des bases de la négociation...

Dans ce type de négociation, l'important est de dépasser ses rancœurs et ses rancunes. De ne pas faire de la rencontre un règlement de comptes qui bloquerait définitivement la situation. J'ai pris comme exemple le cas de Marianne et Didier, qui est une histoire sentimentale, mais vous pourrez tout aussi bien avoir à affronter une négociation d'après-rupture dans votre vie sociale ou professionnelle. Sachez vous y préparer.

8. Situation qui survient à l'improviste

Vous ne vous y attendiez pas... Et vous vous trouvez obligé de résoudre un conflit, brusquement. C'est fréquent, et dans ce cas, vous n'avez pas le temps de préparer quoi que ce soit.

Vous devez faire face, en improvisant. Cela demande de la rapidité, de la souplesse, et surtout un excellent sens de ce qui se passe réellement dans la relation, et quel accord est possible.

Ces situations peuvent être de moindre importance. Citons, en vrac : vous attendez un taxi à une station, et quand il arrive, quelqu'un surgit pour vous le chiper. Vous étiez persuadé d'avoir rendez-vous aujourd'hui chez le médecin, mais en arrivant, vous vous apercevez que vous vous êtes trompé de jour. Comme vous ne pouvez pas venir le lendemain, vous le persuadez de vous prendre quand même en consultation maintenant. Ou bien vous vouliez rentrer tôt chez vous ce soir pour dîner avec des amis, mais votre patron vous demande de vous attarder au bureau pour étudier un dossier urgent et important. Ou bien vous êtes quatre à travailler dans la même pièce et il fait très chaud pour la saison. Une discussion s'engage pour savoir si on doit ou non laisser la fenêtre ouverte, et vous êtes très concerné parce que vous souffrez d'un rhume. Ou encore vous flânez sans but précis lorsque vous tombez en arrêt devant la commode qui irait à ravir dans votre chambre... Et vous entamez un marchandage avec le brocanteur, bien que cette dépense imprévue soit tout à fait déraisonnable pour votre budget, etc.

C'est en observant votre comportement et l'efficacité de votre décision dans ces situations imprévisibles que vous vous rendrez bien compte de vos qualités de négociateur. Sans préparation, ni analyse, ni temps de réflexion, vous observerez comment vous «assumez» une situation imprévisible.

● **Comment procéder :**
— évaluez rapidement votre émotion afin de ne pas la laisser vous submerger;
— détendez cette émotion par une profonde inspiration;
— percevez l'émotion de votre interlocuteur (est-il agressif, craintif, nerveux?);
— amorcez tout de suite votre *direction* en vous intéressant au but final, et surtout pas aux positions respectives (par exemple, dans le cas du taxi qu'on veut vous chiper, il est inutile de dire : «j'étais là avant vous!» Mieux vaut dire : «j'ai besoin de ce taxi, et j'y ai droit. Vous en avez besoin aussi, mais

vous n'y avez pas droit... Par contre, nous allons peut-être dans la même direction, et je me ferai un plaisir de partager...»);
— ne vous braquez pas sur vos intérêts;
— pensez que si l'autre a telle ou telle position, cela ne veut pas forcément dire que son intérêt est complètement opposé au vôtre.

Nous avons souvent tendance à coire que si l'autre a une position différente, cela signifie que son but est le contraire du nôtre. Or, ce n'est pas forcément vrai. Et il est essentiel, surtout dans une négociation imprévue, de faire rapidement la part des choses.

Imaginez par exemple que vous êtes commerçant. Depuis des années, vous vous fournissez chez tel grossiste, qui vous donne satisfaction. Brusquement, un jour où il doit vous livrer une commande urgente, il vous annonce qu'il ne le fera que si vous lui payez la totalité de ce que vous lui devez. Habituellement, vous le payiez par traites et vous vous étonnez de cette exigence imprévue, d'autant plus que vous avez absolument besoin de ces fournitures.

Comme ce conflit doit se résoudre rapidement, étant donnée l'urgence de la situation, vous allez tout de suite essayer de comprendre quel intérêt se cache derrière sa position et jusqu'à quel point celui-ci peut rejoindre le vôtre.
— n'attaquez pas sa position, mais ne l'acceptez pas non plus. Considérez-la comme une option possible, et cherchez quel principe elle reflète.
— Evaluez les intérêts de votre marchand :
a) il a besoin d'argent rapidement;

b) il a besoin aussi de votre clientèle ;
c) il a intérêt à conserver une bonne relation avec vous.
— Evaluez vos intérêts :
a) vous avez intérêt à ne pas débourser la totalité de la somme qu'il exige.
b) vous avez besoin de conserver le client que vous devez fournir ;
c) vous avez intérêt à conserver une bonne relation avec votre marchand ;
— vous pouvez constater que vos intérêts se rejoignent au niveau des fournitures à vendre et à acheter, et au niveau de votre relation. Par contre, ils diffèrent au niveau des modalités de paiement. Et c'est à ce sujet que vous allez négocier, mais en vous servant de ce qui vous réunit, et non de ce qui vous sépare ;
— vous n'allez donc pas entamer le dialogue par quelque chose du genre : «ce que vous exigez de moi est intolérable, et vous me décevez, car depuis le temps que nous travaillons ensemble je ne pensais pas que vous en viendriez là...» (ce qui serait placer la négociation sur une base émotionnelle en ne s'attachant qu'aux positions) ;
— vous allez commencer par : «nous avons l'un et l'autre intérêt à bien nous entendre, comme nous l'avons toujours fait. J'ai besoin aujourd'hui de vos fournitures, et vous avez besoin d'argent... Trouvons un compromis qui nous satisfasse, car ni l'un ni l'autre n'avons intérêt à nous fâcher...»

● **Pour résumer les grandes lignes**
Vos intérêts sont complémentaires, c'est pourquoi vous pouvez trouver un compromis. Celui-ci repose sur la vente. Votre compromis sera par exemple :

vous payez une partie de la somme aujourd'hui et il livre les fournitures, à l'avenir vous réviserez votre contrat pour faire des traites moins étendues dans le temps. Ou encore il vous livre en plusieurs fois, vous payez en plusieurs fois. Ou encore tout autre arrangement qui vous convienne... L'important est que ce conflit potentiel se soit arrangé à l'amiable, avec une bonne compréhension des besoins mutuels.

9. Situation dans laquelle vous n'êtes pas vraiment impliqué

Si cela vous arrive, vous risquez d'éprouver un certain malaise. C'est en effet désagréable de se trouver dans une situation qui ne vous concerne pas vraiment et votre manque de motivation peut vous faire commettre des erreurs de comportement d'abord : vous serez peut-être trop malléable, trop «mou»; de jugement ensuite : vous n'évaluerez pas bien les motivations de votre interlocuteur ni les critères objectifs qui ressortent de vos intérêts respectifs.

Cependant, vous pouvez modifier tout cela, en vous servant précisément du fait que vous n'êtes pas vraiment concerné. Imaginez par exemple que vous soyez en train d'effectuer votre dernier mois de travail dans votre entreprise, avant de commencer un autre job dans une autre maison. Vous êtes responsable des ventes, et vous avez encore plusieurs contrats à traiter avant votre départ.

C'est le type même de situation qui, inconsciemment ou non, entraîne chez vous un certain désintérêt. Attention! Ne vous laissez pas aller. C'est important de réagir, ausi bien pour vous-même que pour votre image de marque. Intéressez-vous à ce que vous traitez comme si vous deviez rester dans cette entreprise. Oubliez le futur, ne vivez que le présent de la situation. Vous devez négocier? Négociez, sans vous poser de question. Sinon, votre interlocuteur percevrait très bien votre message invisible «manque de motivation». Et vous risqueriez de rater votre négociation.

● **Comment procéder :**
— soyez très conscient que, même là, c'est important de réussir;
— utilisez à fond cette liberté que vous donne votre peu de motivation;
— positivez cette situation au maximum : c'est une occasion pour vous de vous sentir plus léger, plus libre, dégagé d'émotions. Vous pouvez négocier en

toute lucidité, sans être envahi par des sentiments contradictoires.

— c'est souvent précisément parce que nous sommes trop impliqués, que nous risquons d'é-chouer. En utilisant votre détachement, vous pou-vez vous offrir le plaisir de négocier brillamment, maniant les éléments avec facilité; ce sera pour vous un exercice, une occasion de procéder selon les règles fondamentales : comprenez votre émo-tion, observez celles de votre interlocuteur, analy-sez rapidement sa position pour déterminer les be-soins, exprimez et développez vos propres intérêts, faites la synthèse des points de vue différents, éva-luez comment rapprocher les intérêts complémen-taires pour parvenir à un accord.

Vous constaterez certainement que le fait de vous impliquer de cette manière vous apportera une expérience intéressante pour votre avenir de négociateur, en vous donnant cette sensation de grande liberté qui est indispensable et si rare....

Mais il se peut aussi que vous vous sentiez peu impliqué si vous avez à faire avec une personne qui entame pour un oui ou pour un non tout un proces-sus de négociation.

En effet, il est des gens qui sautent sur tous les prétextes pour discuter... Un bavardage perma-nent, un échange de vues continuel est leur pain quotidien... Et tout cela ne mène à rien, car il ne s'agit pas vraiment de négociation proprement dite, mais de conversations stériles, en somme, une sorte de *caricature* de négociation. Peut-être avez-vous déjà vécu ce type de situation.

Je cite pour exemples : un ami qui vous invite avec plusieurs autres puis passe la soirée à se de-mander quel film choisir sans que finalement personne ne se mette d'accord. Un patron qui passe de longs moments à discuter avec vous de projets qui semblent imminents, vous demande votre avis, vous demande de jeter sur le papier les grandes lignes d'une étude sur le sujet, et cela plusieurs fois consécutives, sans qu'aucun de ces projets n'aboutisse jamais. Votre femme qui veut trouver un autre appartement, vous en convainc, vous intéresse au projet. Mais, bien que vous fassiez toutes les agences immobilières pour trouver l'appartement de rêve, elle se désiste toujours et l'affaire n'aboutit jamais malgré toutes vos négociations...

Toutes ces situations vous démoralisent parce qu'elles sont répétitives et semblent avoir peu de chances de trouver une fin satisfaisante. Cependant, avant de vous énerver, demandez-vous quand même comment vous en sortir avec élégance, avant de perdre votre temps à une énième discussion.

Si vous êtes certain que ce n'est pas la peine d'entamer cette négociation, soyez ferme :

— vous pouvez dire des phrases comme : «reparlons de ce projet un peu plus tard, lorsque vous l'aurez définitivement conçu, car pour le moment je suis très occupé par telle affaire.»;

— vous pouvez aussi demander des éclaircissements plus concrets concernant la motivation de votre interlocutrice : «es-tu certaine de vouloir déménager, et si oui, pourquoi?»;

— votre attitude doit être souriante, mais ferme. N'invoquez pas le fait que jusqu'à présent, ces négociations n'ont jamais abouti. Demandez seulement du concret, toujours du concret...

● **Pour résumer les grandes lignes**
Le degré d'implication que l'on a dans une négociation est une chose complexe à définir. En effet, outre les facteurs objectifs, comme la négociation qu'on mène dans une affaire qui ne nous intéresse pas vraiment, il existe aussi toute une palette de réactions subjectives qui font que nous ne parvenons pas à nous investir.

Par exemple, il se peut que vous ne vous sentiez pas impliqué, uniquement parce que vous êtes un être fataliste. Aucune situation ne vous stimule vraiment. Et pourtant, objectivement, vous avez toutes les raisons d'espérer réussir.

C'est pourquoi, à chaque fois que je ne suis pas impliquée, je m'en demande toujours la raison : n'ai-je réellement aucun intérêt majeur dans cette affaire ? Et je m'aperçois généralement que mes raisons sont beaucoup plus complexes qu'elles ne le paraissaient à première vue. Ainsi, récemment, voulant acheter une voiture d'occasion, je me suis rendue chez un vendeur qui m'a proposé différents modèles. Je les regardais tous, j'écoutais ses arguments, et pourtant, rien à faire, je n'arrivais ni à m'intéresser à ces voitures ni à avoir envie de négocier avec lui sur les prix. Je suis donc repartie sans avoir rien acheté. Mais un peu plus tard, en m'interrogeant plus profondément sur ce désintérêt subit, je me suis rendue compte qu'en fait, j'étais motivée la veille pour acheter une nouvelle voiture, mais que le matin même, ayant lu des statistiques sur les accidents de la route, j'en avais conçu une angoisse inconsciente. C'est absurde, mais vrai : j'avais peur, et cette peur s'était manifestée par un désintérêt subit pour cette négociation. Tout à fait irrationnel, certes, mais plus fréquent qu'on ne croit...

Aussi, s'il vous arrive de ne pas vous sentir impliqué alors que vous devriez l'être, il est intéressant pour vous d'étudier la question plus à fond. Par exemple, vous êtes agent immobilier, vous devez servir d'intermédiaire pour vendre un appartement. L'affaire vous rapporte un pourcentage moins élevé que d'habitude, mais un pourcentage quand même. Et vous vous apercevez, au cours des pourparlers que vous n'arrivez pas à vous impliquer vraiment. Que se passe-t-il? Vous ne parvenez pas à cerner le problème.

● **Comment procéder :**
— commencez par analyser la situation du point de vue de la communication. Est-ce que ce sont les personnes avec lesquelles vous traitez qui vous créent cet embarras? Pensez à l'attitude, au comportement, au physique de vos interlocuteurs. Quelque chose vous déplaît-il vraiment chez eux?
— notez bien tous les sentiments qui se dégagent de cette analyse;
— voyez ensuite les faits objectifs, en vous posant les questions suivantes :
— le pourcentage que vous aurez est-il si peu intéressant?
— êtes-vous préoccupé en ce moment par une autre affaire qui vous distrait de celle-ci?
— les conditions discutées ne correspondent-elles pas à ce que vous voulez vraiment?
— y a-t-il un ou des points que vous n'arrivez pas à faire admettre comme vous le désirez?
— et pour finir, demandez-vous : «si ma vie dépendait de la réussite de cette affaire, qu'est-ce que je ferais?»

En effet, le fait d'imaginer une situation d'urgence, déclenche souvent des réponses neuves, qui vont au cœur du problème.

Lorsque vous aurez ainsi fait le tour de la question, vous aurez une idée plus juste de ce qui se passe, et du moyen pour y remédier. D'ailleurs, à chaque fois que vous vous sentez obscurément peu motivé, vous pouvez rapidement vous poser les questions suivantes qui vous aident à y voir plus clair :
— ce projet m'est-il vraiment tout à fait étranger?
— ai-je intérêt à ne pas m'en occuper?
— si oui, quels avantages en aurai-je?
— si non, quels avantages en aurai-je?
— quel est l'inconvénient majeur pour moi si je ne m'y implique pas vraiment?
— et quel en est l'inconvénient majeur si je m'y implique?
Ces questions simples vous éviteront l'erreur d'abandonner une négociation qui pourrait être fructueuse, en vous faisant bien prendre conscience de vos motivations profondes, voire inconscientes.

10. Situation dans laquelle vous négociez pour quelqu'un d'autre

Contrairement à la situation précédente, vous êtes très concerné. Ou alors, oubliez ce projet, ce serait perdu d'avance. Il faut aimer négocier pour quelqu'un d'autre si on veut y réussir. Les attachées de presse, les imprésari, les agents littéraires, les avocats, font cela à longueur de journées, et avec facilité. Pour pouvoir le faire, il y a quelques règles à ne pas oublier.

Vous dirigez, par exemple, une agence d'intérimaires. Votre fonction est donc de placer des secrétaires dans des entreprises pour un laps de temps déterminé. La difficulté de votre travail est de ménager les intérêts respectifs des deux parties. L'erreur fondamentale serait de prendre parti pour l'un ou l'autre, de donner une nette préférence, car alors on ne pourrait plus se fier vraiment à vous. Il est donc important de bien comprendre votre émotion par rapport à la personne que vous devez placer, et par rapport à l'autre également. Défendre à tout prix les intérêts de la secrétaire au détriment de ceux de la société qui veut l'engager serait un mauvais service à lui rendre.

○ *Posez un diagnostic préalable des capacités de la personne que vous devez «vendre» :*
— quels sont ses diplômes? Ses références? Sa personnalité?
— le prix qu'elle demande est-il complètement justifié?
— si vous avez des difficultés à obtenir ce tarif, jusqu'à quel prix pouvez-vous descendre sans la léser?

○ *Procédez au même diagnostic pour l'employeur :*
— quels avantages offre-t-il?
— est-ce intéressant de travailler pour lui et pourquoi?
— quels sont ses inconvénients? (au niveau salaire, conditions de travail, mentalité, etc.);
— jusqu'à quel point peut-il payer le prix que vous désirez et quel rabais êtes-vous prêt à consentir?

Quand vous avez posé ce diagnostic, vous êtes à même de négocier.

● **Comment procéder :**
— attention à vos émotions : pas de virulence, pas d'inflation, d'enthousiasme! tenez-vous aux faits objectifs, sans prendre position. Si vous vous posez comme le défenseur des intérêts de votre «poulain», vous vous mettez en infériorité. Si vous n'avez pas l'air assez convaincu, vous inspirez la méfiance ;
— donc, vous vous attachez aux faits concrets, qualité, référence, personnalité, etc., de la personne que vous «vendez». Mettez-la en valeur avec mesure et finesse ;
— commencez par présenter les qualités de la personne que vous proposez puis enchaînez sur ses références et le salaire demandé ;
— présentez tous les faits avec calme et fermeté ;
— donnez un sentiment de sécurité et d'objectivité à votre interlocuteur ;
— montrez bien que votre seul intérêt est de concilier celui des deux autres, dans l'équité et l'harmonie.

Mais, à l'inverse, il se peut que vous ayez des doutes sur les qualités de la personne pour laquelle vous négociez. Dans ce cas, posez bien votre diagnostic avant de vous engager :
— quels sont exactement ses défauts?
— ai-je la preuve absolue de ces défauts?
— si non, quelles sont les qualités qui les compensent?

● **Pour résumer les grandes lignes**
Dans toute situation dans laquelle vous négociez pour quelqu'un d'autre, respectez toujours ces règles de base :
— votre objectivité et votre neutralité sont là

comme garantie ;
— votre impartialité doit être réelle ;
— vous devez connaître à fond les intérêts respectifs et être certain qu'ils sont compatibles ;
— vous êtes capable d'influencer habilement l'une ou l'autre partie. Mais ne le faites que si vous êtes vraiment certain que c'est positif pour cette partie.

Et souvenez-vous que, si on peut négocier une ou deux fois pour une personne que l'on n'apprécie pas vraiment, il est regrettable de le faire plus car on frise alors les limites de la malhonnêteté. Choisissez donc bien, au préalable, la personne pour laquelle vous négocierez. Votre réputation est en jeu, au même titre que lorsque vous négociez pour vous-même.

11. Situation dans laquelle vous refusez de négocier

... Si cela vous arrive souvent, comprenez bien vos motivations. Demandez-vous pourquoi, pourquoi, et encore pourquoi? Peut-être y a-t-il en vous une résistance à entrer en communication, ou un sentiment d'échec. Nous aborderons ce problème pour essayer de le résoudre. Mais auparavant, mettons bien les choses au point.

Refuser de négocier peut aussi être une solution excellente si c'est une décision lucide, parfaitement cohérente et mûrement réfléchie. Il existe des cas où c'est indispensable, où c'est même la seule solution qui s'impose :

— si vous devez traiter avec quelqu'un qui a eu plusieurs fois un comportement proche de l'escroquerie et que vous voulez éviter d'être entraîné dans une mauvaise affaire ;

— ou bien si vous êtes aux prises avec un vendeur ou un représentant entreprenant, qui essaie de vous vendre à tout prix un produit dont vous n'avez pas besoin ;

— ou si un solliciteur vous accapare et vous fait perdre du temps ;

— ou encore si un proche veut absolument vous persuader de faire telle ou telle chose dont vous n'avez pas du tout envie.

Dans tous les cas où vous vous sentez sollicité d'une manière insistante et qui n'apporte rien de positif, le refus tranquille et ferme est salutaire. Mais voyons à présent ce qui se passe si vous refusez trop souvent de négocier : il se peut que vous fassiez partie de ces personnes qui refusent toute négociation avant même d'entamer le dialogue : par exemple, votre mari commence un échange de vues sur la façon dont vous allez orienter les études de votre fils de 16 ans, et vous esquivez. Ou bien vous êtes censé entrer en relation avec un concurrent dans vos affaires, en vue d'établir un accord, et vous reculez toujours le rendez-vous. Ou bien on vous a fait des propositions dans une entreprise, vous êtes assez intéressé, mais vous ne donnez jamais suite. Ou encore vous savez que votre secrétaire désire depuis longtemps vous parler des dates de ses prochaines vacances, mais vous retardez toujours le moment d'en discuter.

Le refus prend des formes très différentes pour se manifester. Un non catégorique est parfois préférable à une dérobade floue. Des refus répétés risquent de vous faire rater mille occasions dans votre vie professionnelle ou affective. Efforcez-vous de toujours prendre conscience de ce qui se passe en vous quand vous refusez (comme nous l'avons vu dans la situation de ceux qui ne se sentent pas impliqués). C'est le meilleur moyen pour comprendre votre motivation émotionnelle. Ensuite seulement, vous serez à même de constater si la situation impliquait vraiment d'être rejetée.

Le refus peut aussi prendre une autre forme : c'est celui qui survient au cours d'une négociation, ou juste après une discussion. Je connais le gérant d'une société de voyages qui a cette manie. Par exemple, il engage un entretien avec un important client étranger en vue d'une éventuelle fusion de sociétés. Tout semble bien se passer, un début d'accord est mis sur pied. Mais, deux jours plus tard, avant la négociation définitive, changement total : le gérant arrête net les pourparlers, prétendant sans aucune preuve que son interlocuteur est un fumiste et que l'affaire n'avait pas d'intérêt, contre toute évidence. Cet homme est coutumier du fait. C'est comme si avant toute décision importante, quelque chose de «plus fort que lui» le poussait à tout anéantir. C'est tout à fait caricatural, et cette manie l'a amené à fonctionner bien au-dessous de son potentiel réel. Mais, sans être aussi extrême, l'impulsion de refus en cours de négociation existe chez nombre d'entre nous.

● **Comment procéder :**
— pour demeurer rationnel, ne manquez pas de vous demander, si cela vous arrive : quelle est ma motivation réelle? si je décide de faire un effort pour continuer, quels bénéfices vais-je en tirer? et

quels inconvénients? si je m'aperçois que mes motivations ne sont pas fondées, comment puis-je poursuivre en me sentant à l'aise?

— posez ensuite un diagnostic de la situation, en y incluant les réponses au questionnaire précédent;

— demandez aussi l'avis d'un proche ou d'un collaborateur. Un conseil peut vous faire dédramatiser, prendre une distance par rapport à cette impulsion irrationnelle;

— et si vraiment votre émotion est trop forte, essayez de faire continuer l'affaire par un collaborateur qui vous remplacera.

Cependant, il reste délicat de juger si nous avons tort ou raison de refuser une négociation. Les circonstances, le sentiments et motivations respectives créent un climat complexe dans lequel il est parfois difficile de se faire une idée parfaitement juste de notre bon droit. Aussi, laissez toujours une place, malgré tout, à la possibilité d'un accord.

Supposez par exemple que vous avez un fils de 17 ans. Il veut s'inscrire à une université américaine de New York pour y poursuivre ses études. Vous vous y opposez, considérant qu'il est trop jeune pour vivre seul à l'étranger et après plusieurs discussions, vous refusez toute négociation. Vous vous êtes mis en situation de conflit envers lui, car en plus il est mineur et a besoin de votre autorisation. Il vaudrait mieux rouvrir le dialogue, car le refus est un moyen de pression peu recommandable. Proposez-lui d'examiner ensemble vos motivations respectives:

— exprimez vos arguments, sans tenir compte des positions;

— demandez-lui de faire de même;

— faites une synthèse ;

— essayez de voir quel compromis créatif peut naître : par exemple, il pourrait passer ses deux mois de vacances aux Etats-Unis pour se faire une idée de l'ambiance. Ou alors il trouverait un travail en France pendant les vacances et verrait ce qui se passe lorsqu'il est livré à lui-même, etc.

Quoi qu'il arrive, en rouvrant la négociation, vous vous donnez des chances d'entrer en meilleure relation avec votre interlocuteur, et de trouver l'ébauche d'un accord créatif et inédit.

12. Situation dans laquelle l'autre refuse de négocier

Vous désiriez obtenir une augmentation de salaire, ou vous vouliez discuter d'un projet qui vous tient à cœur, ou bien vendre quelque chose à quelqu'un, mais vous vous trouvez dans une impasse. Pas de réponse de la part de votre interlocuteur, ou alors l'esquive, la dérobade... Que faire? Il est possible que votre interlocuteur ait, comme nous venons de l'étudier, un réflexe d'esquive, qui est une forme de refus non formulé. Votre **direction** sera de l'amener subtilement à donner une réponse, à entrer en communication. Mais pour faire cela, n'attaquez jamais la personne en tant que personne. C'est-à-dire, ne faites pas de procès d'intention. Attachez-vous au contraire aux critères objectifs, pas aux sentiments. Il s'agit de mettre la personne en face d'une situation concrète, sans tenir compte des émotions que celle-ci a suscitées. Par exemple, choisissez le bon moment pour dire à votre patron : «pour reprendre notre conversation à propos de mon augmentation, j'ai eu une autre idée que je vais vous exposer.» Ou bien, pour un projet : «le projet dont nous avions parlé ensemble a pris tournure entretemps, voici ce qu'il en est.»

En mettant l'autre devant le fait accompli, en faisant abstraction de ses dérobades, vous le plongez dans le concret. C'est un tour de passe-passe, qui lui fait oublier l'idée même de son refus. Mais vous devez être dégagé vous-même de toute émotion négative pour réussir cela. Sinon, vous seriez mal à l'aise, ou vous passeriez pour un grossier manipulateur.

Voyons maintenant une situation fréquente : vous venez d'être engagé au service de coordination dans un bureau d'enquêtes médicales. Le directeur est en voyage. Votre supérieure directe est une jeune femme qui vous a simplement dit de «faire comme vous voulez» en attendant le retour du directeur, dans une semaine. Au bout de quelques jours, vous vous apercevez que vous devez prendre une initiative importante et imprévue (par exemple, engager une enquête complémentaire sur un médicament).

Perplexe, vous demandez à cette jeune femme si vous pouvez prendre cette décision. Elle esquive, ne donne pas de réponse, vous laissant vous débrouiller. Comment négocier face à un tel refus?
— analysez bien les raisons probables de son attitude. Un refus recèle toujours une motivation cachée que vous devez tirer au clair. Logiquement, il y a trois raisons probables à son refus :
— elle veut peut-être tester votre réaction;
— elle veut peut-être vous porter préjudice en espérant que vous ferez une gaffe;
— elle ne sait peut-être pas quoi répondre et esquive pour ne pas perdre la face.

Cette analyse offre déjà un avantage pour vous : vous éviter de vous faire des soucis ou des complexes d'infériorité.

En effet, on a parfois tendance à se sentir dévalorisé quand on affronte un refus. On se pose des questions, on se demande si on a «fait quelque chose de mal». C'est une réaction paralysante. Tandis que si on considère que c'est l'autre qui a un problème en refusant de négocier, on peut alors voir la situation avec neutralité et lui trouver une solution élégante et juste.

● **Comment procéder :**
— vous allez poser le problème plus directement. C'est un petit risque à prendre, mais il en vaut la peine;
— choisissez donc un moment où vous sentez la personne détendue pour lancer un appel indirect : «j'ai besoin de savoir ce que je dois faire pour cette enquête. Mais je n'ai pas bien compris ce que vous

m'avez conseillé de faire, hier. Pourrions-nous revoir cela ensemble, cela m'aiderait beaucoup...»;
— vous pouvez aussi, si vous pensez le faire bien, être plus direct : «écoutez, j'ai l'impression que vous ne voulez pas me donner de réponse à propos de cette enquête. Je me trompe peut-être, mais vous vous doutez que c'est une affaire importante pour moi, et j'aimerais en reparler.»

En posant ainsi le problème, vous placez la négociation sur un niveau différent. Vous rendez votre interlocuteur plus proche de vous. D'un éventuel ennemi, vous vous faites un allié. Il faut toujours se rappeler que mieux on est proche de quelqu'un, mieux on a des chances de trouver un bon accord. C'est pourquoi, en cas de refus, essayez toujours de créer une certaine complicité avec l'autre, pour débloquer la situation. La négociation se passe alors entre deux alliés, et le conflit né du refus s'estompe. Cependant, si la personne persiste dans sa dérobade, n'insistez plus. Vous avez fait tout ce qu'il était possible de faire. Prenez alors l'initiative qui vous convient en ce qui concerne l'enquête que vous devez décider...

Il faut toujours savoir s'arrêter à temps dans une négociation. Ne pas en faire trop, ni pas assez. C'est une question de dosage.

● **A éviter :**
— l'insistance;
— le sentiment de culpabilité;
— l'agressivité par rapport à l'autre;
— le désarroi.

Après ce tour d'horizon des douze situations-types, vous êtes déjà prêt à parer à toute éventualité, car chaque situation que vous rencontrerez dans votre vie quotidienne se rapprochera toujours d'un des cas de figure que nous avons étudiés.

Il me reste maintenant à aborder la technique de base dans son ensemble pour que vous ayez alors en main tous les éléments nécessaires à la réussite de vos futures négociations.

CHAPITRE 2

Les enjeux de la négociation

La plupart des gens pensent qu'il y a deux manières de négocier : soit «à l'amiable», en évitant le conflit, en faisant des concessions parfois coûteuses, soit «à la guerrière», en voulant gagner à tout prix, et en utilisant tous les moyens, même ceux qui écrasent «l'adversaire». Or vous avez pu constater dans les chapitres précédents que *l'art de la négociation* n'a rien à voir avec cela. Au cours d'une négociation il se passe énormément de choses. Comme au théâtre ou au cinéma, la négociation est une scène où se jouent des passions et des sentiments, où pointent des idées et des projets, où s'exercent des forces plus ou moins contrôlées. C'est complexe et c'est palpitant. Mais il est aussi très difficile de s'y retrouver, parmi tous ces éléments contradictoires. L'émotivité inutile vous conduit à l'échec, le manque de communication entre vous et votre interlocuteur empêche une bonne compréhension.

C'est pourquoi je me suis attachée à dégager les concepts principaux, qui demeurent toujours à l'arrière-plan de ce psychodrame quotidien auquel nous jouons et dont vous avez décidé d'éviter les pièges, puisque vous lisez ce livre. Il s'agit de la *neutralité,* du *contrôle des émotions,* de la *bonne communication,* tous concepts qui font travailler l'imagination, pour aboutir à la *création* d'une réalité nouvelle.

En somme, la négociation, c'est *l'art de transformer un conflit potentiel en une association créative.* Et pour y parvenir nous allons à présent aborder ces quatre éléments fondamentaux :
1. la neutralité
2. l'émotion

Supposez donc que votre fils de 6 ans ait la manie de se bourrer de sucreries. Il vous accompagne pour faire les courses, et vous réclame un gâteau qu'il a vu en vitrine. Il se peut que, excédé, vous finissiez par dire : «bon, d'accord, mais ce sera ce gâteau-là (un biscuit sec) ou rien...» Exemple type de ce qu'il faut à tout prix éviter dans une négociation. Car le simple fait de dire «ça ou rien», c'est-à-dire de montrer une position inflexible, suscite des tonnes d'émotion négatives, et matérialise le conflit latent. L'ultimatum mène à la guerre. La souplesse mène à la paix. Votre fils obéira peut-être et mangera le gâteau choisi par vous. Le rapport de forces est créé. Il mangera son gâteau, mais l'esprit de revanche le poussera à se venger tôt ou tard. Ou bien il refusera avec fureur de se plier à votre ultimatum et insistera pour obtenir l'autre gâteau.

Par contre, dans cette même situation, vous pouvez rapidement appliquer le principe de la neutralité, des faits objectifs et de l'antagonisme créateur. Ne vous laissez pas gagner par la colère. Détendez-vous, chassez l'émotion. On négocie toujours mal quand on est submergé par l'énervement, l'agacement, l'angoisse. Puis vous pouvez dire : «Tu sais que ce n'est pas bon pour la santé de manger trop de gâteaux. Mais tu as très envie d'en avoir un maintenant. Moi, je ne suis pas d'accord, car je ne trouve pas ça raisonnable (faits objectifs). Comment pouvons-nous nous arranger pour être satisfaits l'un et l'autre? (antagonisme créateur).» Le problème ainsi posé permet d'une part de voir la situation dans son ensemble (faits objectifs), et d'ouvrir vers la possibilité d'un accord commun (antagonisme créateur). Vous déciderez alors ensemble, ayant tous les éléments en main, d'attendre ce soir ou demain pour le gâteau, ou de le remplacer tout de suite par le fameux biscuit sec, ou de ne le donner que lorsque l'enfant estimera qu'il a réellemen faim.... ou tout autre accord créé par votre dialogue. Cette mini-négociation rassemble en elle tous les éléments dont nous nous servons pour négocier.

○ *Il est souvent plus délicat de négocier avec des personnes très proches,* car les émotions liées à notre passé commun sont vives et forment un important message invisible. Dans ce cas, efforcez-vous toujours de dédramatiser, et surtout de ne pas vous braquer sur le côté émotionnel mais sur les faits objectifs. Vous verrez que la négociation réussit très bien quand elle n'est pas basée sur des critères personnels. Le diagnostic préalable, puis les faits objectifs, sont à eux seuls les éléments fondamentaux de toute négociation. Cependant, il est vrai aussi qu'on ne peut pas négocier avec des gens qu'on ne connaît pas du tout, ou mal.

○ A l'inverse, *quand vous négociez avec un parfait inconnu,* créez avec lui des liens de sympathie, d'entente, de bonne relation. Sans être trop personnel, vous vous rendrez compte qu'il est plus aisé de négocier «comme si c'était avec un ami», en laissant toujours ouverte la possibilité d'approfondir votre relation. Et cela, non pas dans le but de manipuler ou de séduire la personne pour la circonstance, mais parce qu'une négociation réussie passe toujours par une certaine harmonie entre les deux protagonistes, même lorsque la raison de leur réunion est la défense des intérêts «anonymes» de deux compagnies multinationales concurrentes. Et c'est sans doute pour faciliter l'éclosion de cette harmonie que les Américains, dans leur cadre professionnel, cherchent à s'appeler par leur prénom dès leur première rencontre.

De fait, chaque fois que nous négocions, c'est parce que nous avons un intérêt à défendre, ou un gain à obtenir. Ce but final provoque en nous différentes émotions (appréhension, angoisse, esprit de revanche « je l'aurai », ressentiment, etc.). Notre interlocuteur suscite également en nous des sentiments divers (sympathie, rejet, intérêt, colère, peur, crainte, ennui, agressivité, désapprobation, voire attirance sexuelle). En plus de ses intérêts, un négociateur est donc impliqué dans la relation qu'il a avec son interlocuteur. Cela, on l'oublie trop souvent. Et on oublie aussi que l'interlocuteur éprouve lui aussi, au même titre que vous, des émotions liées d'une part à son but final, et d'autre part à votre présence. Considérer l'autre comme quantité négligeable serait une erreur. Vous devez trouver la relation juste avec votre interlocuteur, et avoir donc une bonne communication. Ensuite, vous devez faire appel à votre imagination et votre sens de la création pour déterminer un accord qui contente vos buts finaux. Il ne s'agit pas de finir une négociation en ayant un gagnant d'une part, un perdant de l'autre. Il faut deux gagnants satisfaits l'un de l'autre et concrétisant ensemble des projets respectifs dans un accord mutuel.

2. L'émotion

Tout d'abord, vous devez apprendre à reconnaître vos émotions et à les comprendre. Avant d'entamer un entretien, et pendant un entretien, ayez toujours un regard lucide sur votre propre ressenti. Vous sentez-vous angoissé, agressif, craintif, perplexe ou colérux? Déterminez votre émotion, tenez-en compte, mais méfiez-vous d'elle, car elle risque de parasiter, à votre insu, toute la négociation. Vous allez donc les faire passer au second plan en vous détendant et en vous relaxant (voir page 167). Mais attention, il vous faudra un minimum d'entraînement pour parvenir ensuite à vous détendre très rapidement. La relaxation ne se fait pas du jour au lendemain, il y faut un peu de pratique. Vous pouvez vous habituer pour commencer à reconnaître et détendre les émotions les plus fréquentes. Puis à aller plus loin et à percevoir tout ce qui se passe en vous... Peu à peu, vous prendrez l'habitude de relâcher ces tensions, cela se fera tout naturellement. Ensuite, reconnaissez ce qui se passe chez votre interlocuteur. C'est lui aussi un être pétri de sentiments complexes et de vulnérabilité, même s'il a l'apparence d'un patron intimidant ou d'un employé qui vous semble robotisé. Essayez de comprendre avec précision ce qu'il éprouve. Anxiété, colère, peur, agacement? Si son émotion est légère, détendez-le en créant simplement une atmosphère agréable. Si vraiment vous le sentez tellement tendu que cela bloque la conversation, vous pouvez jouer cartes sur table, en suggérant : «il me semble que le contrat que nous devons établir ensemble entraîne certain malaise. Dites-moi si je me trompe.» Ou toute autre phrase prudente qui l'incitera à exprimer, avec un certain soulagement, l'aspect négatif de ses sensations.

Ne soyez pas timide : le fait d'exprimer, en douceur, votre ressenti, a des effets spectaculaires. La plupart des gens ne demandent qu'à être plus vivants, plus décontractés. Mais, comme vous, ils n'osent pas toujours. Si vous l'exprimez avec délicatesse tout le monde sera enchanté d'en faire autant, ce qui placera la négociation sur un plan chaleureux.

● Il peut vous arriver d'être amené à **négocier avec plusieurs personnes en même temps.** Dans ce cas, les émotions sont encore beaucoup plus ambiguës, car vous les ressentez, en même temps, venant de plusieurs lieux à la fois. Supposons que vous deviez envisager une association à quatre personnes. L'une d'elles vous déplaît, l'autre attire votre sympathie, la troisième vous semble mystérieuse et la quatrième trop décidée. Votre direction principale va être de vous centrer en vous-même, pour ne pas vous laisser influencer par tous ces sentiments contradictoires. Commencez d'abord par respirer un grand coup, puis focalisez votre attention sur l'émotion la plus négative qui vous vient, pour la modifier. Procédez par ordre afin de ne pas vous disperser. Et surtout, nommez très bien pour vous-même ce qui se passe en vous devant chaque personne. Les émotions sont très soudaines et très impalpables, il est important, lorsque vous êtes en présence de plusieurs personnes, de ne pas confondre vos émotions. Ensuite, lorsque vous êtes plus neutre, vous pouvez porter votre attention sur chacune des personnes en présence et considérer clairement leurs positions.

La grande difficulté lorsqu'on négocie à plusieurs est de ne pas se laisser prendre par la confusion qui peut résulter de tant d'intérêts différents. Détendez donc l'atmosphère dès le départ, en gommant les inimitiés sourdes qui pourraient apparaître. Insistez pour que chacun ait le temps et l'écoute suffisante pour s'exprimer. Exprimez-vous également avec clarté, en veillant à être entendu et compris. Et surtout, «sentez» bien la personnalité de chacun de vos interlocuteurs pour trouver les mots qui vont le toucher. En effet, on ne se comporte pas de la même façon avec tout le monde. Si vous savez personnaliser votre relation avec chacune des personnes présentes, vous pourrez d'autant mieux communiquer avec elle sans être perturbé par l'émotion.

Chaque négociation comporte, comme toute relation humaine, un plan invisible : celui du message implicite qui passe entre les mots. J'y ai déjà fait allusion au premier chapitre. Prêtez-y attention. Ne croyez pas dur comme fer aux mots qui sont prononcés. De cette neutralité où vous vous placerez, vous percevrez mieux l'essentiel. Et, au-delà des mots, vous percevrez exactement les sentiments, les motivations de votre interlocuteur.

Le message invisible dissimule toujours des émotions qui ne sont pas exprimées. Il est aussi, souvent, le reflet, d'une manipulation, volontaire ou non, que votre interlocuteur tente pour parvenir à ses fins. Voici un exemple type de *message invisible manipulateur.*

Vous passez vos vacances à Biarritz, à une centaine de kilomètres de la villégiature de votre père. Votre père vous téléphone un jour : «J'aimerais venir chez vous ce soir, je vous invite toi et ton mari au restaurant... Bien sûr, ça me fera coucher un peu tard, mais cent kilomètres ne m'effraient pas. Qu'en penses-tu?» Au ton de la voix, à la façon dont il formule sa proposition, vous comprenez que votre père a envie que vous l'invitiez à dormir ensuite chez vous pour ne repartir que le lendemain. Vous avez deux solutions : ou bien vous lui proposez immédiatement de dormir chez vous, et il acceptera avec empressement. Ou bien vous faites comme si vous croyiez ses paroles, et vous ne l'invitez pas à dormir, auquel cas il risque d'être assez vexé. Il aurait été si facile qu'il dise : «J'aimerais ne pas rentrer après le dîner.» Mais, comme la définition du message invisible manipulateur est justement de créer des complications, vous pouvez décider de ne pas entrer dans ce jeu. Vous pouvez très bien dire : «Il me semble que tu aimerais dormir chez nous après le dîner, pourquoi ne pas le dire?»

En posant concrètement les faits réels, tels que vous les avez entendus à travers le message, vous incitez l'autre à exprimer son besoin, donc à communiquer plus directement. Devant un *message invisible* flagrant, n'hésitez jamais à amener votre interlocuteur vers une expression plus directe. Cela évite l'ambiguïté, les messages invisibles parasitant au même titre que les émotions, la clarté du dialogue.

● Il arrive aussi parfois que l'on ait à **négocier pendant un laps de temps assez long,** dans une série de plusieurs rencontres successives. Cela m'est arrivé plusieurs fois, et c'est ce qui m'a permis de remarquer une erreur que l'on commet couramment. Je devais négocier un contrat pour un film avec un producteur étranger. Plusieurs entrevues étaient prévues, entre chacune d'elles il repartait en Angleterre où se trouve le siège de sa firme.

C'était le type même de la négociation complexe, car le budget de ce film était élevé et la production n'était pas d'accord avec moi pour le casting. Ce producteur était sympathique et nous avions de bons rapports. A la fin de notre troisième entrevue, la conversation a dévié sur d'autres sujets, et nous nous sommes mis à bavarder à bâtons rompus. C'est alors que j'ai donné différents avis très personnels sur le cinéma, la direction d'acteurs, sur les conceptions que j'avais d'une mise en scène réussie, etc. Une fois rentrée chez moi, j'ai repensé à notre conversation, et j'ai commencé à paniquer bêtement. J'avais l'impression d'avoir dévié du sujet, de m'être trop «livrée», d'avoir donné une tournure plus personnelle à l'entretien, et d'avoir dévoilé des conceptions que j'aurais dû garder pour moi. A force d'y repenser, je me sentais de plus en plus stupide, et j'appréhendais notre prochaine entrevue. Décidée à réparer ce que je considérais comme une bêtise, je m'étais préparée à être beaucoup plus froide et à ne considérer que les faits objectifs, et rien d'autre. Or, je m'aperçus tout de suite que c'était une erreur : mon interlocuteur, lui, n'avait pas du tout fantasmé comme moi et ne se souvenait d'ailleurs même plus de cette conversation anodine qui n'avait en rien entravé le cours de notre négociation. C'était moi qui avais échafaudé des pensées n'ayant rien à voir avec la situation. Je le compris assez vite, et repris le cours de la négociation tout à fait normalement.

Mais ce genre d'incident est fréquent : on peut très bien se «faire un cinéma» intérieur entre deux entrevues. Et si on commence à réfléchir, à remettre en question tout ce qu'on a dit ou fait, on est pris par des émotions compliquées qui parasitent notre mode d'action. C'est à éviter absolument, car il faut bien se dire que la négociation fait partie de la vie et, comme elle, est fluctuante. Quand on négocie en plusieurs entrevues, il est évident que l'on ne peut pas rigidifier les choses. La situation crée des imprévus, des relations nouvelles entre les interlocuteurs, et il faut laisser faire cela, sans appréhension. Si on dévie du sujet, rien ne sert, ensuite, de se faire des idées noires. Il vaut mieux se laisser un peu aller à sa fantaisie, quand cela survient, plutôt que de vouloir à tout prix garder la même ligne directrice qui n'est pas forcément toujours compatible avec ce qui se passe dans le présent.

C'est pourquoi il est important, une fois que vous êtes arrivé à un bon contrôle de vos émotions, une fois que vous êtes sûr de vos arguments et de votre fil directeur, de donner libre cours à votre instinct et d'agir avec naturel, sans remettre sans cesse en question les impulsions qui peuvent survenir.

3. La communication

Nous avons vu précédemment qu'il est souvent délicat de communiquer avec l'autre, surtout si nous le connaissons depuis longtemps, à cause du passé affectif qui provoque une succession de non-dits ou malentendus gênant une bonne communication. Aussi, la première chose à faire pour bien communiquer, c'est de bien écouter votre interlocuteur, et de vous faire bien comprendre. Abandonnez toute idée de «cinéma» à faire, pour vous faire valoir. Il est inutile de chercher à impressionner l'autre. Il pourrait être dupe un certain temps, mais pas longtemps. Il vaut mieux porter votre attention sur ce qu'il dit, sans chercher à lui en imposer.

● **L'écoute active** est un excellent moyen pour bien communiquer. Très souvent, nous n'écoutons pas ce que raconte notre interlocuteur. Nous sommes seulement en train de penser à ce que nous allons dire, et nous serions incapables de répéter ce qui vient d'être dit. Pour bien écouter, concentrez-vous sur ce que vous sentez de l'autre, ses émotions, ses gestes, sa façon de parler. Pour bien comprendre ce qu'il dit, entraînez-vous à faire une rapide synthèse, mentalement, des points importants de son discours. Ainsi, vous aurez clairement dans votre esprit la succession des arguments, des motivations, des intérêts, de votre interlocuteur. Et surtout, considérez-le comme quelqu'un d'important, dont les idées et les projets sont valables. Dévaloriser l'autre est la pire chose que vous puissiez faire. D'une part votre interlocuteur le sentira très bien, par vos messages invisibles, et d'autre part, vous ferez comme si vous étiez seul à avoir raison, à avoir des arguments valables, ce qui aura le grave inconvénient de vous amener à négocier seul, la pire chose pour un négociateur.

Votre but est donc, à travers une bonne écoute,

et une expression claire de vos propres besoins, de chercher des moyens pour gagner **chacun** quelque chose... En portant de l'attention à votre interlocuteur, vous y parviendrez aisément...

○ Mais *il arrive qu'on doive négocier avec des gens qui n'écoutent pas.* Dans ce cas, inutile de vous laisser gagner par des émotions négatives. Imposez-vous calmement mais fermement, sans entrer dans le jeu de votre interlocuteur. Il n'écoute rien, il est méprisant, ou essaie de vous impressionner? Cela prouve que c'est un mauvais négociateur. C'est son problème, pas le vôtre. Votre **direction** va être de modifier cet état de fait en vous montrant ferme et semblable à vous-même :

— parlez concrètement, arrêtez-vous pour demander si vous vous êtes bien fait comprendre ;

— focalisez son attention sur les faits objectifs ;

— développez bien votre sujet, et continuez à bien écouter ce qu'il dit ;

— dites-vous que c'est peut-être la crainte qui rend votre interlocuteur si désagréable. Détendez l'atmosphère, créez une complicité. On s'entend mieux avec un ami qu'avec un ennemi potentiel ;

— et appliquez-vous à lui faire comprendre les bases de l'antagonisme créateur, en lui démontrant que c'est en s'associant pour résoudre un conflit qu'on a le plus de chances d'y réussir.

Le test-mystère

Voici maintenant un «test-mystère». Vous allez répondre aux questions sans réfléchir, par oui ou par non, ensuite vous consulterez le résultat qui se trouve à la fin du test.

1. Remarquez-vous les expressions et les mimiques de votre interlocuteur lorsqu'il parle?

oui - non

2. Votre pensée suit-elle facilement les propos de votre interlocuteur?

oui - non

3. Aimez-vous chanter?

oui - non

4. Contrôlez-vous facilement votre voix?

oui - non

5. Aimez-vous les endroits à la mode?

oui - non

6. Reconnaissez-vous facilement quelqu'un en entendant sa voix au téléphone?

oui - non

7. Faites-vous aisément la synthèse des arguments de votre interlocuteur au fur et à mesure qu'il les expose?

oui - non

8. Vous efforcez-vous de vous faire bien comprendre lorsque vous négociez?

oui - non

9. Contrôlez-vous facilement les émotions provoquées par les paroles de votre interlocuteur?

oui - non

10. Restez-vous calme même lorsque la négociation est ardue?

oui - non

11. Pratiquez-vous volontiers un sport?

oui - non

12. Pouvez-vous rester neutre pendant que votre interlocuteur parle, même si votre position est opposée à la sienne?

oui - non

13. Vous dit-on souvent que vous êtes anxieux?

oui - non

14. Aimez-vous ménager des silences dans la conversation?

oui - non

● **Comment calculer vos résultats :**
Comptez le nombre de vos «oui». Ensuite, regardez si vous avez répondu aux questions 3, 5, 11 et 13. Si c'est le cas, ne tenez aucun compte de ces questions dans votre score final. Elles n'étaient là que pour détourner votre attention.

A présent, je vais vous révéler le mystère qui se cachait derrière ce test : il s'agissait de savoir si vous avez une bonne écoute de l'autre. Consultez maintenant vos résultats :

○ *Si vous avez totalisé dix fois oui :*
Cela semble trop beau pour être vrai. Refaites ce test avec plus d'attention. Si vous obtenez encore le même score, vous êtes décidément un champion de l'écoute active. Négocier avec vous est un paradis pour votre interlocuteur. Votre principal atout de réussite réside dans votre étonnante capacité d'écoute.

Si vos capacités créatives sont aussi développées que votre écoute, la négociation est un jeu pour vous, un jeu que vous savez en plus rendre agréable aux autres.

○ *Si vous avez totalisé entre cinq et sept oui :*
Votre écoute n'est pas mauvaise dans l'ensemble, sauf quand vous être trop «pris» par vos émotions. Selon les circonstances, vous êtes ou non un bon «écouteur actif».

Votre **direction** sera de contrôler mieux vos émotions pour qu'elles ne parasitent pas votre écoute; (voyez page 167) le travail de relaxation qui peut vous aider.

○ *Si vous avez totalisé entre deux et cinq oui :*
Votre capacité d'écoute laisse à désirer. Tout se passe comme si l'autre n'existait pas vraiment pour vous. Trop absorbé par votre propre position, vos projets et vos arguments, vous avez tendance à ignorer votre interlocuteur.

Il est possible pourtant, que cette attitude porte ses fruits, car vous savez parfaitement vous faire comprendre. Mais pour donner plus de souplesse et d'aisance à vos négociations, vous auriez intérêt à vous entraîner à écouter votre interlocuteur, ce qui vous amènerait très certainement à des solutions plus créatives et plus équilibrées.

Après ce tour d'horizon des éléments émotionnels et relationnels qui agitent les deux acteurs d'une négociation, passons à l'étude de la création commune, qui est l'aboutissement de la scène qui se déroule au cours de toute négociation.

4. La création

La création, nous l'avons vu, survient précisément parce que nous devons concilier deux points de vue très différents. Mais pour lui permettre de surgir, vous devez déjà bien comprendre quels sont les intérêts derrière la position de chacun. Aussi les deux règles fondamentales de la négociation sont :
— ne vous attachez jamais aux positions qui sont prises (que ce soient les vôtres ou celles de vos interlocuteurs) ;
— efforcez-vous toujours de définir exactement quel intérêt elles recouvrent. C'est ainsi que vous découvrirez que des positions différentes ne veulent pas forcément dire que les buts sont différents aussi.

Par exemple, vous voyagez en voiture avec votre mari et votre fille. Comme vous avez roulé depuis longtemps, et que vous êtes fatiguée, vous proposez de vous arrêter à la prochaine ville.

Votre mari refuse et veut continuer à rouler jusqu'à la côte. Vous commencez à vous disputer, tenant chacun ferme vos positions respectives.

C'est alors que votre fille qui dormait à l'arrière se réveille et déclare qu'elle aimerait s'arrêter au restaurant le plus proche car elle a faim.

Et votre mari et vous de vous exclamer : «Moi aussi, j'ai faim, c'est bien pour cela que...», votre mari : «Je veux aller jusqu'à ce restaurant sur la côte», vous : «Je veux m'arrêter à la prochaine ville pour trouver un restaurant...»

Il arrive fréquemment que l'on s'accroche tellement à ses positions que l'on en oublie de comprendre quel est le besoin qui les fait naître. C'est pourquoi il ne sert à rien de discuter les positions. Et à partir du moment où les intérêts respectifs seront clairement définis, vous pourrez trouver les idées qui vont les faire concorder. Mais pour y parvenir, il faut affronter certains pièges, comme par exemple l'habitude d'essayer d'influencer l'autre par des menaces plus ou moins implicites. Evitez donc le style «je serai obligé de prendre des mesures définitives si vous n'acceptez pas telle partie du contrat».

Mieux vaut penser à trouver des offres qui vont l'arranger, sans pour autant vous coûter trop. Avant d'arriver à un accord créatif, votre direction est de trouver des gains mutuels en cours de négociation : «Je peux vous proposer telle ou telle chose, qu'est-ce qui vous arrangerait le mieux?» Ensuite, faites la contre-proposition qui est : «Si vous me donniez tel ou tel avantage, cela m'arrangerait bien... »

Si vous êtes vraiment décidé à trouver pour lui des options avantageuses, tandis qu'il en trouvera pour vous, il n'y a pas de raison pour qu'une négociation échoue. Car tout le monde aime être inventif, généreux et communicatif. L'art de négocier consiste aussi à faire vivre la générosité, l'invention, et le plaisir de la bonne communication à vous-même et à l'autre. Pour aller vers la créativité, vous devez aussi bien connaître votre interlocuteur et le comprendre. Bien le connaître fait partie de la communication. Vous ne vous comporterez pas de la même façon si vous traitez avec un directeur de banque très guindé, ou avec un négociant en vins bon vivant ! Vous n'emploierez pas le même langage, vous n'aurez pas le même comportement, car leurs codes sociaux sont différents et parce que le minimum de courtoisie est de s'adapter à leur code. Une liste détaillée et analytique peut vous aider à comprendre en profondeur les intérêts. Par exemple :

Intérêts primordiaux de mon interlocuteur	Les miens
rentabilité	rentabilité
idéologie	efficacité
prestige	clientèle assidue
paiement rapide	paiement par traites
la forme	le fond
la tradition	le modernisme

Etudiez à fond quelles sont les choses auxquelles il tient, au-delà de leurs intérêts, et indiquez-le sur votre liste. Vous aurez un tableau très approfondi et précis de tous les points qui vous caractérisent, vous rapprochent, ou vous séparent.

C'est très important pour aller vers un maximum de création. Car vous avez alors une perspective neutre et objective de tous les éléments. Et vous vous apercevez que vous pouvez définitivement abandonner l'idée que vous avez raison et qu'il a tort. Vous avez chacun des faits objectifs qui vous poussent à vouloir telle ou telle chose. Et comme vous avez tous deux de bonnes raisons de le vouloir, votre accord sera enrichi par vos mutuelles bonnes raisons.

A travers les positions et les intérêts, vous dégagerez aussi les faits objectifs, comme nous l'avons vu précédemment. En général, les négociateurs veulent trouver une solution en exprimant leur volonté : «Je suis prêt à payer tel prix pour ce fauteuil, mais pas un sou de plus, dit-on à l'antiquaire.»

Il est bien plus intéressant de considérer les faits objectifs puis de négocier à partir de ceux-ci.

Imaginez que vous vouliez acheter un fauteuil Régence chez un brocanteur.

Votre intérêt bien sûr, est de payer le moins cher possible, alors que celui du brocanteur est d'en tirer un argent maximum.

C'est très simple de placer la négociation sur les faits objectifs. Dites-lui : «Vous désirez obtenir un prix élevé, et moi je désire obtenir un prix bas, d'ailleurs j'ai un budget limité, mais je paie comptant. Comment pouvons-nous nous entendre à l'amiable?» Faisant cela, vous limitez le long processus du marchandage habituel, dans lequel chacun expose ses volontés, ses positions ou fait mine de partir.

Vous êtes au contraire en train de chercher un

compromis commun, en toute objectivité. Négocier à partir des faits objectifs fait gagner du temps et met les interlocuteurs dans de bonnes dispositions l'un envers l'autre.

Les règles de base de la négociation sont d'ailleurs toutes très simples. Vous prendrez très vite l'habitude de manier aisément l'émotion, la communication, la création, avec les faits objectifs.

On peut objecter qu'en faisant cela, on prend un risque, celui d'étonner son interlocuteur, de le choquer, peut-être. Je ne le pense pas.

● **Car je suis convaincue qu'il est beaucoup plus dure de :**
— ne pas se faire comprendre ;
— être considéré comme quantité négligeable ;
— avoir des relations tendues ;
— considérer l'autre comme un ennemi ;
— se faire des ennemis ;
— vouloir gagner à tout prix ;
— arriver rarement à un compromis profitable aux deux parties ;
— vivre la négociation comme une épreuve ;
— poser un ultimatum ou en subir un ;
— discuter pour rien ;
— se disputer sans arriver à un résultat...

● **... que de se trouver dans une situation où :**
— on est compris et entendu ;
— on existe aux yeux de l'autre ;
— on se sent en confiance ;
— on se fait des alliés ;
— on rééquilibre les rapports de force ;
— on pose le problème au niveau des besoins respectifs ;

CHAPITRE 3

Les incidents de parcours

Dans les livres de psychologie pratique, on présente généralement des cas et des situations idéaux, clairs et idylliques. Souvent, cela n'est pas la réalité. Car nous avons aussi à affronter des gens dont nous ne comprenons pas le but, que nous soupçonnons d'être malhonnêtes, ainsi que des situations compliquées, qui nous semblent inextricables. Et c'est peut-être encore plus vrai en ce qui concerne la négociation, car celle-ci met en jeu plus que l'affectivité. A cela s'ajoutent l'intérêt, l'argent, l'ambition, les mythes sociaux de réussite, et le profit. Il existe en effet des négociations particulièrement difficiles avec les «pervers» en tous genres. Elles nous décontenancent, nous révoltent. Elles ne se résolvent pas avec les moyens classiques qui font appel à l'honnêteté, l'affectivité, le respect de soi, le sens moral, etc. C'est pourquoi je leur ai consacré un chapitre à part, celui des «incidents de parcours». Je les ai classées là aussi par catégorie. Ainsi, lorsque vous vous trouverez confrontés à des promesses trompeuses ou à des cas de pouvoir usurpé, à des projets douteux ou à des déclarations très éloignées de la vérité, ou encore à des individus qui font appel à des moyens de pression, reportez-vous à ce chapitre.

Peut-être trouverez-vous que j'y vais «un peu fort», mais je me suis efforcée tout au long de ce livre de coller à la réalité, de donner des conseils utiles et surtout immédiatement utilisables.

Promesses trompeuses

J'ai récemment eu l'occasion de voir le comportement de ce que j'appelle le négociateur «mythomane fuyant». Un éditeur de lithographie que je connais bien rencontre le directeur d'une maison de diffusion de province. Celui-ci, appelons-le X, se montre très amical et propose à l'éditeur de diffuser dans sa province une importante collection de lithographies. Il se dit enthousiaste, très intéressé par le projet, capable de lui faire vendre une centaine de lithos. L'éditeur fait donc fabriquer, envelopper et expédier plus d'une centaine de lithographies chez X qui doit les distribuer dans sa province.

Quelques semaines plus tard, il s'aperçoit qu'un seul des libraires a reçu quelques lithos en dépôt. Il téléphone à X, qui le rassure très amicalement. Le temps passe, toujours rien. L'éditeur s'inquiète à nouveau, téléphone et reçoit les mêmes propos rassurants. Très perplexe, il demande autour de lui ce qu'on pense du personnage de X. Les gens qui le connaissent, lui répondent que c'est un homme charmant. L'éditeur attend encore, très ennuyé car cette commande lui a demandé un investissement qu'il n'aurait pas fait en temps normal. Il retéléphone et X lui assure qu'il ne doit pas s'inquiéter, se vexant presque de ses questions... Finalement, huit mois plus tard, et l'affaire en étant toujours au même point, l'éditeur se fâche et décide de faire reprendre sa livraison de lithographies. Aucun contrat n'avait été signé. Mais X prend la chose très mal, comme si c'était un affront, et ils se brouillent. En plus du temps perdu, de la déception, de l'argent dépensé pour rien, l'éditeur n'a jamais compris pourquoi X a agi ainsi. Peut-être pour le seul plaisir de se donner de l'importance en faisant des promesses... La première erreur de l'éditeur a bien sûr été de ne pas faire signer un contrat. Mais X était tellement concerné, enthousiasmé par ce projet qu'il avait lui-même proposé... On hésite à faire signer un contrat à un homme aussi affable. La seconde erreur a été d'attendre trop longtemps, en se laissant bercer par de belles paroles. Mais on ne s'énerve pas quand on traite avec un tel ami.

C'est difficile de deviner à l'avance une situation de ce type. En effet, pourquoi fait-il des promesses si ce n'est pas pour les tenir ? Pourquoi s'agiter autant si on sait que cela ne mènera à rien ? Pourquoi entamer une affaire si on sait qu'on ne la poursuivra pas ? Mystère... Mais quelles que soient les motivations profondes de ces négociateurs, il vaut mieux les éviter. Ils se cachent souvent sous des apparences très sympathiques, mais leurs besoins et motivations demeurent insondables. D'où l'utilité de faire toujours, quoi qu'il arrive, un contrat préalable.

Pouvoir usurpé

Il traite avec vous une vente que votre société doit faire à la sienne, et il semble être le chef suprême en ce qui concerne ce dossier.

Vous travaillez sur le contrat, vous négociez point par point avec lui. Mais au moment de la signature définitive, vous apercevez avec horreur qu'il n'est pas du tout le chef suprême et que le pouvoir de décision appartient à un autre. Tout est à recommencer avec le véritable responsable légal.

Assez proche du mythomane, il est plus laborieux et jette moins de «poudre aux yeux». Il est toujours préférable d'être bien renseigné sur la position réelle de son interlocuteur quand on n'a pas de certitude absolue à ce sujet.

Projets douteux

Un négociateur peut aussi dissimuler de noires intentions sous une apparence légale et très correcte.

Vous êtes par exemple directeur d'une agence d'embauche de personnel. Le patron d'un magasin vous demande de lui trouver une vendeuse. Il semble offrir d'excellentes garanties et vous donne une liste très détaillée des conditions de travail qu'il offre. Vous lui adressez donc une jeune femme qui cherche un emploi de vendeuse. Elle revient quelques jours plus tard, furieuse et profondément déçue : cet homme n'a tenu aucun de ses engagements, il voulait qu'elle travaille sans être déclarée et exigeait d'elle beaucoup plus de travaux de ménage et de nettoyage des sols que de vente... A vous, qui êtes directeur, il avait donné une apparence légale et rassurante. Elle, simple employée, il espérait bien l'influencer pour qu'elle accepte ces conditions différentes...

Déclarations très éloignées de la vérité

Vous avez déjà certainement rencontré un vendeur astucieux qui vantait les qualités de «cette chaîne stéréo à moitié prix», ou de cette authentique commode Empire, ou de cette voiture d'occasion presque neuve... produits qui se sont avérés à l'usage tout à fait différents de leurs qualités supposées. Mais pourquoi faire confiance à quelqu'un, si vous n'avez aucune raison de le faire? Pourquoi ne pas vous référer uniquement aux faits objectifs pour décider un achat et demander : Quelle garantie? Pourquoi un prix si bas? Où est le certificat d'authenticité? Quelles preuves? etc.

Toute promesse verbale est sujette à caution. On peut toujours demander simplement de vérifier, d'être sous garantie, d'être informé, d'avoir des preuves. Il ne faut jamais hésiter à le faire, même avec des interlocuteurs qu'on connaît bien.

Traquenards

On rencontre aussi des gens, qui, sans être pervers ni escrocs, prennent un malin plaisir à vous mettre dans une situation difficile. Ils le font soit par jeu, soit pour vous mettre à l'épreuve et voir «ce que vous avez dans le ventre». Et il est souvent difficile de réagir habilement pour s'en tirer avec élégance.

C'est ce qui est arrivé à une de mes amies, au moment où elle débutait dans le prêt-à-porter.

Chargée de vendre une collection pour le compte de la maison qui l'employait, elle avait fait la connaissance d'un gros acheteur au cours d'un cocktail de presse. Elle avait sympathisé avec lui, et il s'était montré prêt à lui passer une commande importante. Rendez-vous avait été pris dans une succursale de cet acheteur. Le jour dit, la jeune femme, très intimidée quand même par les circonstances, arrive à l'endroit indiqué, croulant sous deux mallettes d'échantillons. Elle se trouve dans d'immenses bureaux, qui l'impressionnent par leur allure majestueuse. Après avoir erré dans d'interminables couloirs, elle se perd.

Un planton finit par lui indiquer que le monsieur l'attend (et s'impatiente) à tel étage. Elle s'y précipite, ouvre la porte, rouge et essoufflée... et s'aperçoit qu'une table ronde de vingt-cinq hommes y compris son acheteur l'attendent et la regardent arriver. Vingt-cinq paires d'yeux plus ou moins narquois qui l'observent tandis qu'elle traverse la grande salle sur le carrelage de laquelle ses talons résonnent interminablement!

Il n'y a rien de pire pour vous mettre dans une position ridicule. Mais la jeune femme s'en est très bien tirée d'ailleurs. Courageusement, elle a affronté le regard de ces vingt-cinq personnes et est venue s'asseoir parmi eux. Puis, avec beaucoup d'humour, elle a fait remarquer qu'elle ne s'attendait pas à une telle affluence. Son acheteur observait ses réactions et semblait s'amuser beaucoup.

Finalement, tout s'est très bien passé, dans l'euphorie générale, et la vente a été signée sans aucun problème. L'acheteur était le type même du négociateur qui adore tester vos réactions en vous mettant dans de situations embarrassantes. Sans méchanceté, d'ailleurs, juste «pour voir», un peu comme les joueurs de poker qui guettent l'adversaire et s'ingénient à le surprendre.

Il y a aussi des gens qui, sans aller jusqu'à vous faire venir au milieu d'un symposium de vingt-cinq personnes, utilisent une autre ruse : ils vous fixent rendez-vous pour traiter une affaire. Pas une seconde vous n'imaginez que vous devrez affronter une autre personne, et pourtant, quand vous arrivez, vous trouvez votre négociateur accompagné d'un inconnu qu'il vous présente négligemment : «mon associé». Et vous voilà en train de négocier avec deux compères, à l'improviste, ce qui est évidemment toujours beaucoup plus délicat.

A cela, vous pourrez toujours riposter en employant la même tactique. Vous aussi, vous serez accompagné de votre associé au prochain rendez-vous...

Un traquenard fréquent également, est celui qui consiste à vous faire déplacer, alors qu'il n'y a aucune raison pour le faire. Dans un marché, la logique veut que ce soit le vendeur qui se déplace, et non l'acheteur. Or, beaucoup de gens, pour jouer le rapport de forces, ou même inconsciemment, inversent les rôles. Supposez que vous dirigiez une collection dans une maison d'édition. Vous êtes jeune, encore débutant, et vous ne connaissez pas tous les pièges de certains vieux renards. Vous devez contacter un auteur pour lui demander s'il serait intéressé de traiter tel sujet. Et celui-ci de vous dire : «Eh bien, voyons, vous pourriez venir à mon bureau pour que nous en parlions plus longuement.» Ceci est un piège, et vous n'avez pas à vous déplacer, vous, même débutant, alors que vous êtes en train de proposer un travail. Si vous acceptez, vous vous mettez en position de demandeur et votre interlocuteur sautera sur l'occasion pour jouer les stars.

Un autre traquenard consiste à vous recevoir tout en répondant sans arrêt au téléphone, interrompant la conversation. Rien de plus agaçant et de plus dévalorisant aussi, car si votre interlocuteur préfère recevoir ses coups de téléphone, c'est pour marquer que vous n'êtes pas d'une importance primordiale pour lui. Quand on vous fait cela, vous pouvez parfaitement réagir en annonçant calmement : «Reportons notre rendez-vous à plus tard, je vois que vous êtes occupé et nous risquons de perdre du temps.»

A tous ces traquenards, une riposte est toujours possible. Mais elle demande beaucoup d'esprit d'àpropos de votre part.

Moyens de pression

Vous rencontrerez peut-être aussi des négociateurs, dans votre vie professionnelle ou affective, qui utilisent différentes mesures d'intimidation pour vous influencer. Citons, comme exemple :
— les gens qui attirent votre pitié en vous faisant croire que vous êtes leur dernière planche de salut;

— à l'inverse, les gens qui vous écrasent de leur puissance et sous-entendent qu'ils ne traitent avec vous que par pure bonté «bien sûr, si cela est important pour vous de me vendre telle chose, je ne vous refuserai pas, mais c'est bien parce que c'est vous, croyez-le...»;

— les gens qui vous déroutent par tous les moyens. Ils peuvent utiliser des remarques insidieuses : «il me semble que vos bénéfices ne sont plus ce qu'ils étaient l'année dernière.» Ils peuvent aussi vous faire attendre, ou décommander souvent vos rendez-vous, ou vous recevoir entre deux coups de téléphone. Ou alors faire des remarques personnelles désagréables à certains moments : «Vous étiez plus en forme la dernière fois, il y a quelque chose qui ne va pas?»;

— les gens qui utilisent le principe de la douche écossaise; vous commencez à discuter un contrat, et ils se montrent conciliants, optimistes, acceptent vos offres. Puis, brusquement, au cours de l'entretien, changement radical : ils reviennent sur leur décision, deviennent durs, font un ultimatum. Ensuite, ils se radoucissent à nouveau, émettent de nouvelles idées... C'est un moyen de manipulation psychologique pour que l'adversaire ne sache plus du tout où il en est...

Nous pourrions allonger cette liste... Mais ce qui est plus important, c'est de voir comment procéder en cas «d'incident de parcours».

Si vous vous trouvez face à un interlocuteur qui vous semble «louche», quelle que soit sa tactique, surtout ne jouez pas les victimes. Vous n'avez rien d'une proie innocente livrée à un méchant serpent.

Et le jeu bizarre qu'il joue n'est pas le vôtre. Donc vous n'avez pas à le craindre.

● Comment procéder

Vous avez le choix entre **deux directions :** amener votre interlocuteur à négocier *selon votre propre éthique,* c'est-à-dire selon vos critères d'honnêteté, de moralité et de compréhension mutuelle, soit *contrecarrer son jeu* en n'utilisant pas votre éthique mais en le déroutant, en n'étant pas fair-play. A malin, malin et demi. A vous de choisir selon les circonstances, l'inspiration ou votre humeur du moment, quelle tactique vous adopterez.

Par exemple, vous devez signer un contrat avec un gros importateur et celui-ci emploie des moyens de pression subtils, vous traite comme un débutant, vous fait attendre. Vous pouvez appliquer bien sûr, la règle des faits objectifs et lui faire calmement comprendre qu'il a autant intérêt que vous à signer ce contrat. Cela peut «marcher» et amener un accord valable. Mais cela peut aussi rester sans effet, car il est parfois impossible de changer la mentalité d'un «vieux requin». Aussi, dans ce cas, n'hésitez pas à employer les mêmes moyens que lui : arrivez systématiquement en retard au rendez-vous, ou faites répondre que vous êtes absent lorsqu'il appelle. Prenez l'attitude de quelqu'un qui se désintéresse du sujet, ou bien insinuez que vous avez d'autres projets en cours qui vous semblent plus intéressants. Bref, employez toutes les méthodes qui vont «casser son jeu» et l'amener à changer sa tactique. C'est d'ailleurs peut-être ce qu'il attend, car certains pervers négocient toujours en provoquant l'autre pour voir ses réactions. On se demande parfois si la «partie d'échecs» de la négociation ne les intéresse pas plus que le but à atteindre.

En principe, vous le savez, il vaut mieux ne pas faire d'attaque personnelle en négociation. Mais cela s'avère plus efficace si vous avez en face de vous quelqu'un qui veut vous escroquer. Supposez que votre garagiste vous demande une somme mirobolante pour des réparations qui sont manifestement superflues. Vous pouvez négocier uniquement sur le problème, sans attaquer la personne, en disant fermement : «Je crois qu'il y a une erreur, ma voiture n'avait absolument pas besoin d'une batterie neuve.» En disant cela, vous lui laissez une chance de revenir à des normes plus acceptables, au lieu de lui donner l'impression de «se faire coincer». Mais les normes acceptables ne sont pas forcément acceptées par les gens décidés à vous «arnaquer». Vous pouvez donc très bien lui dire ce que vous pensez de lui, et exiger des preuves du bien-fondé de son travail. Vous rééquilibrez alors le rapport de forces en vous montrant intransigeant, suspicieux et prêt à aller au procès.

C'est très important aussi, lorsqu'on traite avec quelqu'un qui paraît «louche», de deviner avant tout quel est son but réel. N'hésitez jamais à insister, en disant par exemple : «Pouvez-vous m'expliquer votre position ? Je ne la comprends pas et pour moi il est indispensable que tout soit clair.» Plus la position de l'autre vous paraît floue ou bizarre, plus ses projets cachés risquent de vous réserver des surprises. C'est pourquoi, en même temps que vous vous efforcerez de les mettre à jour, vous ferez une «fausse colère». Un de vos fournisseurs vous livre

toujours avec du retard malgré ses promesses réité-
rées d'être dans les temps la prochaine fois? Vous
pouvez très bien lui téléphoner en écumant de colère, pour lui dire que son comportement est «intolérable et que c'est la dernière chance pour lui de
demeurer votre fournisseur». Un «coup de théâtre» bien amené opère parfois des miracles.

Un autre système de défense excellent pour dérou-
ter un interlocuteur non fair-play est la tactique de
«l'eau sur les plumes du canard». Imaginez que
vous êtes attachée de presse. Vous vous rendez
dans un magazine pour présenter le dernier disque
de votre client. Vous vous apercevez tout de suite
que la personne à laquelle vous devez donner cette
information prend un air méprisant et démolit vos
arguments par quelques phrases insidieusement
agressives. Vous pouvez très bien faire, si vous avez
assez de force d'âme, comme si vous ne vous aper-
ceviez de rien. Aimable et souriante, vous lui parlez
comme si de rien n'était, vous la quittez en la remer-
ciant courtoisement de son attention. Et vous lui
téléphonez quelques jours plus tard, toujours aussi
aimable, pour lui demander si elle a bien écouté le
disque comme elle l'avait promis. Ce système a un
avantage exceptionnel : votre interlocuteur est in-
capable de deviner si vous êtes une complète bécas-
sine ou si au contraire vous êtes redoutablement
machiavélique. Tout glisse comme de l'eau sur
vous, et cela déroute. Votre interlocuteur est donc
obligé de se poser des questions et de changer sa
tactique.

Si par exemple vous voulez acheter un magasin à un
monsieur qui le vend à un prix étonnamment bas et

que vous soupçonnez que ce prix est dû au fait que la maison était en faillite, faites-lui exprimer son intérêt derrière cette position. La maison est-elle en faillite ? Vend-il vraiment parce qu'il a besoin d'argent très vite ? Pourquoi personne ne s'est-il déjà précipité avant vous, etc. ? Il est probable qu'il continuera à tenir sa position. Vous pouvez alors amener les faits objectifs sous la forme : « Vous avez besoin de vendre, j'ai envie d'acheter, mais il me faut la garantie que l'affaire est saine. En effet, je ne me déciderai à payer que si je suis certain de la valeur de cette boutique. Et vous ne pourrez me vendre que si vous donnez des preuves que le magasin correspond exactement aux critères dont vous m'avez parlé. Donc, je vous demande des preuves. »

Des preuves, toujours des preuves, c'est ce qu'il y a de plus efficace avec un « vieux requin ». Heureusement, à notre époque, il semble que la race des vieux ou jeunes requins tende à disparaître. Ils existent encore, c'est certain, mais la tendance est plutôt à la négociation sympathique, détendue et positive. De plus en plus on a envie de relations chaleureuses, d'efforts conjoints et d'honnêteté. Et on fuit les pervers et les situations ambiguës car on cherche beaucoup plus souvent l'occasion de rencontrer des gens ouverts et positifs.

● **A éviter :**
— le sentiment de culpabilité ;
— la crainte ;
— l'impression d'avoir raté votre coup ;
— l'insistance pour amener l'autre à vos principes.
Et n'oubliez pas que si vraiment votre interlocuteur joue un jeu irrecevable, vous avez toujours la possi-

CHAPITRE 4

Réactions et automatismes

Je vous ai peut-être perturbé en vous parlant des négociations avec des gens pervers ou fuyants. Pour retomber sur «nos pattes», nous devons toujours demeurer le plus proches possible de nous-mêmes, de nos propres réactions. La meilleure réalité est encore la nôtre, mais, pour l'appréhender, encore faut-il savoir qui nous sommes. C'est pourquoi je vous propose maintenant de brosser vous-même votre *auto-portrait de négociateur.*

Revoyez-vous mentalement en train de négocier, dans différentes situations. Puis répondez très franchement aux questions suivantes. Vous pourrez ainsi évaluer quel est votre style de négociation, aussi bien effectivement que professionnellement.

Votre style

● **Par rapport aux conflits :**
— dans un conflit, je m'arrange pour rester plutôt à l'écart ;
— quand un conflit éclate, je l'affronte et j'essaie toujours d'imposer mes vues ;
— dans un conflit, je joue toujours le rôle de celui qui apaise les tensions ;
— en cas de conflit, je m'intéresse surtout à découvrir les causes qui l'ont provoqué.

● **Par rapport à la relation avec l'autre :**
— j'essaie toujours de maintenir une bonne relation, quoi qu'il arrive ;

— je considère toujours les besoins de l'autre avant d'exprimer les miens;
— j'ai du mal à m'intéresser aux sentiments de l'autre;
— je m'intéresse à l'autre, mais j'ai du mal à entrer en sympathie.

● **Par rapport à votre contrôle émotionnel :**
— les tensions me troublent, je les ressens très fort;
— les tensions me rendent agressif, j'ai tendance à me raidir, me défendre, ou me recroqueviller;
— je suis peu troublé par les tensions et émotions;
— je reste assez facilement neutre, même s'il y a des tensions.

● **Par rapport à votre communication :**
— je sais tout de suite quoi dire pour entrer en relation;
— je n'éprouve pas de difficulté à avoir une bonne communication si la personne m'est sympathique. Dans le cas contraire, j'ai des difficultés;
— j'ai souvent l'impression de ne pas bien me faire comprendre je manque de rapidité;
— je m'efforce d'écouter autant l'autre que je m'écoute moi, et cela ne me pose pas de problème.

● **Par rapport à votre conviction :**
— je me range facilement aux opinions et aux idées des autres;
— je défends très fermement mes opinions et mes idées, même si le contexte ne s'y prête pas;
— j'ai tendance à proposer un compromis pour concilier mes opinions et celles des autres;

— je préfère défendre les opinions et idées d'un groupe plutôt que de placer les miennes.

● **Par rapport à votre sens de l'humour :**
— j'ai l'impression que mon sens de l'humour peut paraître un peu déplacé. Il donne l'impression aux autres que je ne suis pas très impliqué ;
— j'ai un humour diplomatique qui me permet de faire accepter beaucoup de choses ;
— mon humour redonne aux choses leur juste valeur, il me permet un bon équilibre en de nombreuses circonstances ;
— je pense que je manque d'humour.

Cet auto-portrait va vous permettre de voir un peu plus clair en vous, car même si vous pensiez bien vous connaître, peut-être n'aviez-vous jamais songé que, dans certaines circonstances vous vous montriez sous un jour différent. Nous ne sommes jamais d'un seul bloc et les situations nous modèlent en fonction de leur difficulté, de leur nouveauté, ou de l'écho affectif qu'elles provoquent en nous.

Il y a des gens qui négocient comme ils respirent et passent sans sourciller d'un interlocuteur à l'autre, en trouvant toujours le compromis idéal qui leur permet d'obtenir ce qu'ils veulent sans léser l'autre. Ces super-négociateurs ont compris qu'une bonne négociation ne consiste pas à gagner à tout prix au détriment de l'autre, mais aboutit au contraire à la satisfaction des deux partenaires. Cet équilibrage harmonieux des forces est fondamental, non seulement pour leur bien-être personnel, mais aussi pour leur image de marque, qu'elle soit professionnelle ou affective.

Mais, de la même façon que certains musiciens sont capables de jouer d'oreille n'importe quelle mélodie, tandis que d'autres doivent travailler des heures pour parvenir au même résultat, nous devons passer par la compréhension de tout un ensemble de données pour bien comprendre QUI négocie en nous lorsque nous sommes en situation. En effet, notre comportement recèle différents automatismes, que j'ai déjà décrits dans le «Guide de la vie intérieure»*, à propos de notre affectivité. Qu'est-ce qu'un automatisme de comportement? C'est tout simplement un stéréotype qui apparaît toujours au même moment, dans une situation donnée. Ce stéréotype fait partie de nous-même, il a été formé au cours de notre passé, de notre vécu, des différentes émotions, tensions et sentiments qui ont jalonné notre histoire personnelle.

Il y a par exemple des personnes qui, dès qu'elles doivent parler devant un public même restreint, ressentent aussitôt un sentiment d'angoisse et d'oppression. D'autres ont l'automatisme de devenir taquines, à la limite de l'agressivité quand elles sont en présence de quelqu'un qui leur plaît. D'autres ont l'automatisme de séduire à tout prix, même lorsqu'elles sont avec des gens qui ne les intéressent pas vraiment. Un autre automatisme fréquent est celui de la colère projetée sur un autre objet que celui qui l'a provoquée : votre patron vous a irrité pour une raison ou pour une autre. Vous ne manifestez pas votre ressentiment directement, par contre vous faites un scandale une demi-heure plus tard au serveur du restaurant qui vous a fait un peu attendre. Ces automatismes de comportement for-

* Le hameau, 1981.

ment donc une personnalité à mille facettes. La difficulté est de connaître et contrôler nos automatismes afin de pouvoir ensuite «jouer» avec eux, et non plus être manipulés. L'essentiel est de comprendre quelle partie de nous-mêmes apparaît quand nous négocions. Comme je l'ai déjà mentionné, la situation même de négociation déclenche en nous un automatisme qui peut nous réserver des surprises si nous ne le contrôlons pas. C'est pourquoi nous allons apprendre à connaître notre automatisme, pour le dépasser ensuite.

Le test des automatismes

Voici un test qui va vous aider à reconnaître votre automatisme de négociateur. Pour le faire dans les conditions optimales de spontanéité, tâchez de répondre rapidement aux questions, sans trop y réfléchir.

a

1. Dans une négociation êtes-vous plutôt celui qui écoute l'autre?

oui-non

2. Vous rangez-vous aisément aux arguments de l'autre?

oui-non

3. Attendez-vous de l'autre qu'il expose son point de vue avant vous?

oui-non

4. Avez-vous souvent l'impression que l'entretien s'éternise sans savoir comment y mettre fin?

oui-non

5. Etes-vous de ceux qui pensent que dans la vie tout finit toujours par s'arranger?

oui-non

6. Préférez-vous une conciliation n'allant pas dans le sens de vos intérêts qu'une entrevue mouvementée à votre avantage?

oui-non

7. Trouvez-vous difficile de devoir entamer le dialogue?

oui-non

b

1. Avez-vous tendance à couper la parole à votre interlocuteur?

oui-non

2. Avez-vous un discours percutant, une tendance aux formules acérées?

oui-non

3. Avez-vous souvent l'impression de sentir des intentions cachées derrière les paroles de votre interlocuteur?

oui-non

4. La pensée de perdre un avantage vous est-elle très pénible?

oui-non

5. Croyez-vous comprendre vraiment les besoins de l'autre?

oui-non

6. L'autre est-il surtout et avant tout un adversaire?

oui-non

c

1. La négociation est-elle à priori un jeu pour vous?

oui-non

2. L'autre vous semble-t-il le plus souvent moins informé ou inférieur à vous?

oui-non

3. Provoquez-vous souvent des prétextes pour le plaisir de négocier?

oui-non

4. «La fin justifie des moyens» vous semble-t-il être une bonne formule?

oui-non

5. Vous arrive-t-il souvent de ne pas être très satisfait de vous, bien que vous n'en montriez rien?

oui-non

6. Etes-vous très bavard?

oui-non

7. Aimez-vous les négociations longues et pleines de rebondissements?

oui-non

d

1. L'idée d'échec vous fait-elle frémir?

oui-non

2. Perdez-vous facilement la logique de vos idées?

oui-non

3. Le fait d'entamer un dialogue avec quelqu'un vous est-il pénible?

oui-non

4. Avez-vous du mal à vous exprimer?

oui-non

5. Vous est-il arrivé de vous sentir mal physiquement durant une négociation (vertige, migraine, palpitations, etc.)?

oui-non

6. Avez-vous tendance à percevoir une menace dans la personne de votre interlocuteur?

oui-non

7. Vous a-t'on déjà dit que votre voix n'était pas assez forte?

oui-non

e

1. Etes-vous persuadé que de toute façon il y a toujours un gagnant et un perdant?

oui-non

2. Préférez-vous le silence aux longs discours?

oui-non

3. Avez-vous tendance à considérer l'autre comme quantité négligeable?

oui-non

4. Etes-vous plutôt méfiant?

oui-non

5. Avez-vous tendance à vous retrancher dans votre tour d'ivoire?

oui-non

6. Vous a-t-on déjà dit que vous étiez blasé?

oui-non

7. Le contact avec l'autre vous est-il plutôt désagréable?

oui-non

Quand vous aurez répondu pour oui ou par non à ces quarante-deux questions, faites le total de vos *oui*.

Regardez alors le nombre de oui totalisés dans chacun des tableaux A B C D E. Votre *automatisme* est celui qui correspond au tableau dans lequel vous avez totalisé un maximum de oui. De cinq à sept oui dans un même tableau, c'est votre automatisme. Si vous avez également de trois à quatre oui dans un autre tableau, c'est ce qui correspond à la sous-dominante de votre automatisme. Exemple : vous pouvez avoir l'automatisme de l'agressivité, qui est teinté, par moment, de fatalisme.

○ Dans le tableau A, votre automatisme est : **la passivité**
Bien sûr, vous négociez quand la situation vous y oblige, mais ça ne vous intérese pas vraiment. Vous avez tendance à fuir la situation si elle devient trop compliquée pour vous, et vous ne faites pas beaucoup d'efforts pour arriver à vos fins.

Pourtant, au fond, vous aimeriez réussir, mais il y a comme quelque chose qui vous freine. Vous ne savez pas vraiment comment procéder, parce que vous «ne trouvez pas les armes» en vous. Alors, vous souriez. Vous êtes aimable. Trop aimable, peut-être. Et vous risquez de vous faire marcher sur les pieds. Vous savez bien que vous êtes un peu trop passif, un peu trop conciliant.

Mais vous ne voyez pas clairement comment changer cet état de fait. Vous avez pris l'habitude de vous laisser porter par les événements au lieu de les diriger. D'ailleurs, ça vous donne une certaine chance, un certain charme. Mais ça vous empêche aussi de diriger vraiment votre réussite sociale et sentimentale.

Les autres vous trouvent facile, aimable, gentil. Ils se confient facilement à vous. Mais ils sont un peu étonnés, et presque méfiants devant votre comportement. Quand vous réussissez une négociation, c'est plutôt grâce à la chance, à l'ambiance du moment. Vous vous montrez sous un jour assez introverti, et vous aimeriez bien passer à l'extraversion... et surtout à l'efficacité.

○ Dans le tableau B votre automatisme est : **l'agressivité**

Vous avez tendance à attaquer la négociation bille en tête, fermement décidé à gagner. Très extraverti, vous n'écoutez pas assez votre interlocuteur, car vous êtes trop occupé à défendre votre point de vue. Si on vous résiste trop, vous vous mettez facilement en colère, ou vous coupez les ponts. C'est une grande faiblesse, et vous le savez. Mais c'est plus fort que vous. Un rien vous vexe et vous soupçonnez facilement l'autre d'avoir des intentions inavouables que vous vous faites fort de déjouer.

Vous considérez l'attaque comme la meilleure défense. Le moindre avantage que vous obtenez est pour vous une victoire bien méritée. Vous parlez trop, trop fort et trop vite. Vous n'écoutez l'autre que pour guetter le moment où vous pourrez prendre la parole. On vous craint. On peut aussi essayer de vous ridiculiser, ce que vous ne supportez pas. Vous êtes très dynamique lorsque vous négociez, mais c'est plutôt une tension nerveuse. Vous avez tendance à faire fi des subtilités de la psychologie de votre interlocuteur pour ne vous intéresser qu'aux points forts et à la lutte.

○ Dans le tableau C votre automatisme est : **l'outrecuidance**
Vous avez l'impression d'avoir beaucoup de savoir-faire, d'être doué. Vous adorez négocier, vous vous considérez en secret comme un nouveau Machiavel. Mais les résultats obtenus ne sont pas toujours à la mesure de votre ambition. Vous abordez la situation avec une satisfaction qui agace souvent votre interlocuteur. Mais vous ne vous en rendez pas compte. C'est là votre faiblesse.

Vous en faites un peu trop, et vous avez tendance à «enrober» l'autre. Vous êtes parfois paternaliste si vous êtes un homme, très «charme» si vous êtes une femme. Vous avez une bonne facilité d'élocution. Vous savez aussi ménager des silences pleins de sous-entendus. Mais vous ne savez pas vraiment comprendre la psychologie de l'autre, trop occupé que vous êtes à vous regarder narcissiquement jouer votre jeu.

Si vous échouez, vous faites semblant de ne pas vous en apercevoir, car vous concevez alors une terrible rancune contre votre adversaire, qui n'a pas su être sensible à votre charme et votre intelligence. D'ailleurs, vous pensez que si ça n'a pas marché c'est que vous aviez à faire à un imbécile. Vous passez alors à un interlocuteur plus valable; en étant certain que cette fois-ci, ça marchera.

D'ailleurs, ça marche souvent. Mais pas autant que vous n'aimez à le croire. Et, au fond de vous, vous êtes beaucoup moins sûr de vous-même que vous ne pensez. Souvent, des doutes vous assaillent que vous vous efforcez de dissimuler. Votre façon de négocier est très extravertie. Vous avez un talent certain de négociateur, qui ne connaîtra vraiment sa plénitude que lorsque vous aurez dépassé votre automatisme.

○ Dans le tableau D votre automatisme est : **l'angoisse**
Vous devenez très introverti quand il s'agit d'entrer en communication avec un interlocuteur, même si cela n'apparaît pas clairement dans votre comportement habituel. Quand vous entamez un dialogue, vos idées ont tendance à se brouiller, vos arguments vous échappent. Et rien que cela, ça vous angoisse. Vous ne vous exprimez pas comme vous voudriez, et on vous entend mal. Vous écoutez l'autre avec attention (c'est votre force), mais vous ne savez pas intervenir au bon moment (c'est votre faiblesse). Vous avez hâte que la négociation se termine, et cela se perçoit de l'extérieur d'une façon diffuse, malgré vous.

Il peut vous arriver de ressentir une réelle impression de malaise physique, bouffées de chaleur, vertige, éblouissement, nausées, impression d'être dans un état second... Il peut aussi vous arriver d'être soudain trop brutal, trop carré, uniquement parce que c'est une façon de réagir à l'angoisse à ce moment-là. Cependant, votre pensée est vaste, votre jugement juste. Votre interlocuteur s'en aperçoit, d'ailleurs. Mais vos capacités sont parasitées par cette angoisse sourde qui surgit en vous et qui peut vous donner une apparence préoccupée, étrange...

○ Dans le tableau E votre automatisme est : **le fatalisme**
Un immense sentiment de «à quoi bon» vous saisit

à la simple idée de négocier. Introverti et cyclothymique, l'échange vous ennuie ou vous semble pesant. Ne vous y trompez pas : c'est une défense que vous avez construite pour préserver votre âme sensible. Connaissant votre fragilité, vous préférez ne pas risquer de vous blesser en subissant un échec. C'est aussi parce que vous avez peur de l'inconnu, de la nouveauté, que vous hésitez à négocier. Vous préférez prendre un air humoristique, en parlant du bout des lèvres.

Votre manque d'enthousiasme est perçu par votre interlocuteur comme une désinvolture un peu agaçante. Mais comme vous êtes cyclothymique, il vous arrive aussi de vous acharner, soudainement, et de «sortir» de votre fatalisme. Alors, vous vous motivez, vous vous agitez. Mais cela ne vous réussit pas toujours, et vous vous renfrognez alors dans un «je l'avais bien dit» nostalgique.

Après avoir déterminé votre automatisme de comportement, vous allez pouvoir faire de votre handicap une qualité. Chaque chose en effet renferme toujours son exact contraire. Votre passivité, par exemple, peut se transformer en extraordinaire capacité à écouter vraiment l'autre, ce qui est une qualité primordiale pour une bonne négociation.

Voyons pour chacun des cinq comportements-types ce qui se passe quand la personne est engluée dans son automatisme, et comment faire pour rectifier le tir.

Transformer les défauts en qualités

Si vous êtes trop passif :

— apprenez à vous motiver réellement. Il y a toujours un moyen de trouver un attrait à l'objet de votre entretien. Demandez-vous quels avantages vous pourriez tirer de ce que vous êtes en train de défendre. Persuadez-vous que si vous êtes là, en train de négocier, il vaut mieux réussir plutôt que d'attendre que ça se passe. Pour vous motiver, concentrez-vous à fond sur votre projet. En quoi est-il défendable ? En quoi vaut-il la peine que vous vous donniez du mal ? Que se passera-t-il s'il est accepté ?

— efforcez-vous de parler distinctement et surtout au bon moment. Vous savez écouter, mais vous ne savez pas choisir le moment pour enchaîner et vous exprimer. Il existe un petit truc très efficace pour saisir la parole au vol : choisissez le moment où votre interlocuteur inspire entre deux phrases pour reprendre son souffle, et parlez à cet instant précis. En parlant dans son inspiration, vous ne lui coupez pas la parole, vous enchaînez. C'est un truc qui marche très bien et que l'on acquiert très vite si on porte son attention sur la respiration de l'autre.

— adoptez une méthode «d'attaque» au lieu de rester sur la défensive. Pour cela vous devez :

— posséder à fond votre sujet ;

— préparer à l'avance vos arguments;
— ne pas attendre systématiquement que l'autre ait développé son point de vue.

Commencez donc toujours par exposer vos arguments avec précision. Puis laissez la parole à l'autre. Ensuite reprenez les grandes lignes du débat. L'effort que vous demandera ce plan «d'attaque» suffit déjà à lui seul à vous faire sortir de votre passivité.
— ...et tenez bon. Telle devrait être votre devise. Pour cela, ne laissez pas votre attention se disperser. Concentrez-vous sur vos arguments et aussi sur la synthèse qui se dégage du débat. Mieux, persuadez-vous que vous êtes en train de vivre quelque chose de très important pour vous. Exagérez même l'enjeu de cet entretien, vous y trouverez un attrait bien plus grand.
— exercez-vous aussi à donner un timing dynamique à l'entretien : pas de temps mort, pas de digressions. Si votre interlocuteur s'éternise, c'est parce que vous ne lui avez pas donné la réplique efficacement. Utilisez donc des phrases comme : «avant de terminer, reprenons brièvement l'ensemble du problème», ou «je vais reprendre les grandes lignes qui se dégagent de notre entrevue»... Cela vous permet d'enchaîner efficacement, et de donner du tonus à la conversation.

Si vous êtes trop agressif :

— travaillez sur votre émotion. Je sais, c'est difficile. Mais c'est primordial. Comment faire ? Je vous propose deux méthodes. La première est ponctuelle, la seconde se trouve en fin de chapitre et vous pouvez l'utiliser autant que vous voulez et quand vous voulez. Méthode ponctuelle : avant chaque entrevue importante, visualisez mentalement la personne avec laquelle vous allez négocier. Imaginez-la en détail, pensez à son attitude, aux réactions qu'elle a habituellement, et concentrez-vous sur l'émotion que cela vous produit. Essayez de comprendre ce qui vous déplaît en elle : Est-ce son visage ? Sa voix ? Sa façon de parler ? Les projets qu'elle vous propose qui vous agacent tant ? Quand vous avez trouvé où se trouve le motif de votre hostilité voyez comment vous pouvez le dédramatiser.

Par exemple : votre négociation porte sur une augmentation que vous demandez à votre patron. Jusqu'à présent, celui-ci a toujours esquivé le sujet malgré votre insistance. Déterminez d'abord ce qui vous énerve le plus :
a) est-ce votre patron lui-même ?
b) est-ce que ce sont ses dérobades successives ?
c) est-ce votre désir toujours frustré d'obtenir l'augmentation ?

Quand vous avez déterminé le motif réel, passez à la phase suivante.

Si c'est a) : depuis que vous le connaissez, il y a toujours eu des aspects de sa personnalité qui vous agaçaient. Répertoriez-les puis pensez à vos réactions devant ces particularités. Voyez maintenant comment vous pouvez les modifier. Exemple : il est paternaliste et vous appelle «mon vieux» ce qui vous hérisse? Ne vous hérissez plus, mais répondez-lui mentalement «mon vieux untel», ou tout autre pseudonyme qui le ridiculisera à son insu, et vous détendra. Il est évasif, flou et vous fait répéter plusieurs fois la même chose, et cela vous hérisse? Réprimez votre agacement, qui est inutile. Mais trouvez des moyens pour fixer son attention : parlez d'un ton confidentiel, il écoutera mieux. On se concentre et on écoute mieux quelqu'un qui murmure que quelqu'un qui parle fort et vite. Ou bien livrez vos informations lentement en ménageant des silences, il aura le temps de les assimiler.

Si c'est b) : s'il se dérobe c'est que : ou bien il n'a nulle intention de vous augmenter, ou bien il sait qu'il sera obligé de le faire mais il veut faire traîner. Pour éviter de vous énerver, choisissez le bon moment pour lui fixer rendez-vous. N'insistez pas trop, mais soyez ferme. C'est votre fermeté tranquille qui doit agir, pas votre agressivité plus ou moins cachée. Nous percevons tous le message émotionnel caché derrière les paroles. Si votre message invisible est calme, ferme, votre demande passera mieux.

Si c'est c) : vous vous sentez très frustré de ne pas avoir encore obtenu cet argent. C'est bien votre droit, mais ce n'est surtout pas cela qu'il faut mettre en évidence. Oubliez votre légitime fureur et concentrez-vous sur le projet, et non sur les motivations. Enumérez pour vous les arguments en votre faveur, puis présentez-les objectivement : votre ancienneté, votre efficacité, la hausse du coût de la vie, le meilleur rendement que vous donneriez si vous étiez augmenté, etc. Tous ces faits présentés objectivement ont beaucoup plus de poids que toute menace ou plainte issue de votre sentiment de frustration.

Ce travail sur les émotions est délicat, et j'ai donné des exemples à titre indicatif. Vous voyez comment vous pouvez trouver vous-même les petits trucs personnels, dans cette direction de travail. Voyez page 167 pour le travail global sur l'émotion.

Si vous êtes outrecuidant :

— ne commencez jamais une négociation comme si «c'était déjà dans la poche». Etudiez plus sérieusement les données du problème. Concentrez-vous plus sur le problème lui-même et non sur les effets qu'ont vos paroles sur votre interlocuteur ;
— laissez plus d'espace à votre interlocuteur. Vous devez apprendre à écouter. N'attendez pas que l'autre guette votre respiration pour prendre la parole, laissez-lui du temps pour exposer son point de vue ;
— pour écouter mieux : évitez d'enchaîner directement vos arguments sur ceux de votre interlocuteur. Absorbez-vous uniquement que ce qu'il dit, en faisant abstraction de vos propres arguments pendant qu'il parle. Concentrez-vous essentiellement sur ce que vous entendez, et sur le message qui passe à travers ses mots. Par exemple :
Votre fils de 16 ans désire arrêter ses études dès

maintenant. Vous êtes d'un avis contraire car vous pensez qu'il est capable de passer son bac et commet une erreur en quittant le lycée. Votre habituelle diplomatie est restée impuissante. Pour pratiquer l'écoute active, voilà un exemple de dialogue :
— Votre fils : le lycée m'ennuie et d'ailleurs, je ne suis pas fait pour étudier, je veux trouver un petit job et me lancer dans la vie...

Imaginez votre réaction habituelle. A présent, voyez comment faire. Ne pensez plus à ce que vous auriez envie de répondre. Pensez uniquement à son message. Et parlez-lui en en faisant la synthèse. Cela donne :
— Tu as l'impression que tu n'es pas fait pour les études, elles t'ennuient. Tu penses que c'est plus positif pour toi de trouver un job...

Le principe d'une bonne écoute est simple et donne de très bons résultats. Il permet à la négociation de prendre une autre dimension. L'autre ne se sent plus manipulé, un autre niveau de communication s'établit dans une meilleure compréhension. Cette écoute active est valable pour tout le monde, quel que soit notre automatisme de négociateur.

Si vous êtes trop angoissé

Vous ne pourrez certainement pas vous transformer du jour au lendemain. Mais vous pourrez acquérir plus de souplesse dans vos négociations. Votre angoisse vient d'un manque de confiance en vous-même. C'est sur cet aspect que vous allez travailler pour repousser l'angoisse :

— avant d'entamer toute négociation, commencez par négocier avec vous-même. Ce sera le meilleur moyen pour vous préparer et pour faire reculer l'angoisse. Voici une liste de questions auxquelles vous répondrez :

— quels atouts ai-je en mains pour réussir cette négociation ? (énumérez-les avec un luxe de détails aussi bien affectifs que professionnels) ;

— qu'est-ce qui peut m'empêcher de réussir ? (énumérez les points faibles de votre argumentation, les parties un peu floues ou difficilement défendables) ;

— suis-je réellement prêt à entreprendre cette négociation ?

— si je ne me sens pas prêt comment puis-je me perfectionner ?

— connaissant mon interlocuteur, comment m'y prendre pour qu'il ait de moi la meilleure impression possible ?

Ensuite, mettez vos idées en ordre et étudiez le sujet à fond. Vous allez maintenant travailler votre comportement par rapport à l'autre. Prenez deux chaises. Asseyez-vous sur l'une d'elles et placez la chaise vide en face de vous. Sur cette chaise vide, vous allez imaginer votre futur interlocuteur. Visualisez-le vraiment avec tous les détails, visage, cheveux, regard, voix, etc.

Ensuite, commencez à parler comme vous le feriez dans la réalité. Commencez à dire ce que vous diriez, et observez bien ce que vous sentez et comment vous pouvez développer votre discours. Maintenant, changez de place et asseyez-vous sur la chaise de votre interlocuteur. Essayez d'imaginer comment il vous voit. Mettez-vous dans la peau de votre interlocuteur le plus possible. Essayez de ressentir ce qu'il ressent en face de vous. Aime-t-il votre voix, votre visage, votre présence? Comment réagit-il à vos paroles, vos arguments? Quel est son sentiment général par rapport à la négociation, etc. A présent, parlez comme il le ferait. Prenez son rôle, et développez ses arguments. Quelles sont ses motivations? Son but? Les moyens qu'il va utiliser pour vous convaincre, etc.?

Cet exercice est excellent pour éliminer l'angoisse, car il vous donne plus d'assurance. Avoir vécu dans la peau de l'autre, avoir compris de l'intérieur l'essentiel de l'entretien dédramatise complètement votre sentiment d'insécurité. Cette sorte de «répétition générale» vous donne une maîtrise de la situation une fois que celle-ci devient réelle. Vous allez aussi probablement découvrir, en pratiquant cet exercice, de grandes richesses dans la psychologie des deux personnages (vous et l'autre) que vous interprétez successivement. Cet approfondissement de votre personnalité et de sa relation avec celle de l'autre vous aidera à trouver un équilibrage dans le dialogue, et donc à faire disparaître l'angoisse.

Vous pouvez en outre travailler votre voix, car elle trahit votre angoisse. Ne vous a-t-on jamais fait remarquer que votre voix est différente dans certaines situations? C'est parce que dans ces cas-là, votre respiration devient plus courte. Elle se place en haut des poumons, donnant une impression d'oppression. Du coup, votre voix n'est pas bien placée. Vous vous en rendez compte, mais vous ne savez que faire. Et vous continuez la conversation sur ce même ton, tout en vous rendant compte que votre voix n'est pas la vôtre. C'est le cycle infernal de l'angoisse, d'autant plus pénible qu'on a conscience d'y être installé, sans pour autant savoir s'en sortir.

Un bon moyen pour ne pas être trahi par sa voix : travailler sur la respiration. On peut travailler sa respiration en suivant des cours de yoga, de chant, ou de relaxation. Ce sont des méthodes très efficaces pour les personnes ayant tendance à l'angoisse. Mais vous pouvez aussi chez vous, vous exercer avec ce petit travail :

— allongez-vous confortablement par terre (pas sur un lit, qui est trop élastique) ;

— fermez les yeux ;

— concentrez-vous sur votre respiration ;

— de quel endroit de votre corps vient-elle ? du haut des poumons ? de l'estomac ? de l'abdomen ? du bas-ventre ? Quand vous l'avez située, continuez à respirer de la même façon ;

— ensuite, voyez comment vous pouvez faire circuler votre respiration. Si elle est haute, faites-la descendre. Si elle est basse, faites-la remonter jusqu'en haut des poumons. Jouez avec votre respiration, librement. Cela demande une certaine concentration, mais cela devient plus facile au fur et à mesure qu'on s'y habitue ;

— exercez-vous jusqu'à ce que vous n'ayiez plus d'effort à fournir pour faire passer votre respiration dans tous les endroits de votre corps. Cet exercice va vous permettre d'acquérir un contrôle parfait de votre respiration. Quand vous vous entraînez suffisamment longtemps, ce contrôle devient automatique. Vous savez alors trouver l'endroit de respiration qui vous débloque et dissipe la sensation d'oppression. Cela ne fera pas disparaître définitivement les causes de votre angoisse. Par contre, cette habitude de débloquer physiquement l'angoisse au moment où elle survient, vous aidera beaucoup à apprivoiser celle-ci peu à peu et à en être moins victime.

Habituellement, on tente de dissimuler son angoisse par n'importe quel moyen. Et ce contrôle nous angoisse encore plus, car c'est dur de cacher à tout prix un sentiment qui, de plus, nous submerge. Alors, un conseil : ne cachez pas toujours votre angoisse. Avouez parfois votre trac, avec humour. Faites une plaisanterie, un clin d'œil. Faites rire, cela vous détendra.

Si votre automatisme est le fatalisme :

— comme pour les «passifs», motivez-vous vraiment (voir page 155);
— avant de négocier, portez toute votre attention à l'objet de l'entretien. Vous allez essayer de découvrir des choses nouvelles et inattendues qui vont capter votre attention.

Voici un exercice très amusant qui vous aidera à trouver d'autres motivations. Il consiste en une extension à l'infini de l'objet de votre négociation. Choisissez un moment tranquille, pendant lequel vous êtes seul et détendu. Pensez au sujet dont vous devez discuter. Par exemple, vous voulez obtenir de votre banquier des crédits pour ouvrir une boutique. Vous possédez déjà des éléments rationnels pour ce projet. Enumérez-les mentalement du début à la fin. Maintenant, laissez divaguer votre imagination sur ce sujet : pourquoi voulez-vous ouvrir cette boutique? Quels sont les avantages que vous allez en tirer? Comment allez-vous rembourser les traites?

Commencez alors à élargir irrationnellement ce sujet, à la manière d'un conte de fées ou d'un western selon votre inspiration. Projetez vos idées comme elles viennent «cette maison sera en bordure de la forêt, les lutins viendront y coudre leurs vêtements, le banquier sera le gros magicien qui règne sur cet endroit... etc.». Plus c'est farfelu, mieux c'est.

Ensuite, continuez ce délire imaginaire avec vos motivations. Exemple «j'ouvrirai cette boutique pour devenir la plus grande maison de couture du monde, etc.». Je ne vous donne pas trop d'exemples pour ne pas vous influencer. C'est un exercice où doit jouer totalement la liberté de votre imaginaire. N'ayez pas peur du ridicule. D'ailleurs, vous faites cela sans témoins. Et ces histoires farfelues vont faire apparaître des aspects de vos motivations qui étaient jusqu'alors insoupçonnés. Plus vous développerez le côté irrationnel, plus vous pourrez ensuite retomber sur vos pieds et considérer posément et rationnellement le sujet, les arguments, les motivations et le potentiel de réussite de votre négociation.

C'est une méthode passionnante pour aborder le travail préparatoire de votre négociation, et si vous vous piquez au jeu, vous verrez que vous apprendrez à modifier très bien vous-même votre comportement.

Votre méfiance. Vous pouvez la rendre moins négative en vous posant les questions suivantes :

— quel est le projet réel de mon interlocuteur?
— quel est son projet caché? Dois-je m'en méfier?
— si oui, quel barrage sera le plus efficace? Le refus de négocier? L'habileté qui me permettra de mieux voir où il veut en venir?
— quels moyens ai-je à ma disposition pour que la négociation se passe de la manière la plus ouverte possible?

La peur de l'inconnu. Elle est liée à votre méfiance, mais elle concerne plus directement le rapport que vous avez avec vous-même que votre relation avec l'autre. Si un sentiment de «à quoi bon» vous envahit avant de négocier, préparez-vous par les questions suivantes:

— que suis-je prêt à risquer dans cette négociation?
— d'où vient mon manque de motivation?
— est-ce que je peux citer au moins trois motivations qui sont une bonne raison pour que je négocie?
— de toute façon, que je réussisse ou que je perde, pourquoi ne pas essayer quand même?
— si je ne joue pas vraiment le jeu, n'aurai-je pas un sentiment d'échec, malgré tout?
— et si oui, je peux donc trouver des motivations suffisantes? (les énumérer).

Le plus dur, pour un fataliste, c'est d'entrer dans l'action. Souvenez-vous donc toujours que votre *direction* sera de vous pousser dans l'action, car une fois que vous agissez, vous vous sentez beaucoup plus à l'aise. La grande force du fataliste c'est qu'après tout, il n'a rien à perdre. Jouez donc là-dessus, et plongez dans l'action sans vous préoccuper du reste. Votre intuition sera alors votre meilleur guide.

Exercice de relaxation des émotions

Cet exercice se pratique chez soi, seul, dans un endroit paisible où vous ne serez pas dérangé. Vous pouvez le pratiquer quand vous en avez envie. Il est destiné à vous permettre de reconnaître immédiatement vos émotions et de les relaxer :

— asseyez-vous sur une chaise, confortablement, le dos appuyé au dossier et fermez les yeux ;

— laissez libre cours à votre respiration ;

— peu à peu, sentez où se trouvent les tensions dans votre corps ;

— essayez de détendre progressivement ces tensions par le mouvement qui vous convient ;

— efforcez-vous de devenir de plus en plus lourd et élastique sur cette chaise, tout en observant vos tensions ;

— le plus vous essayez d'être mou «comme un chewing-gum», le plus vous sentez des tensions et des émotions qui montent. Progressivement, détendez-les, sans oublier d'expirer, pour les projeter dehors ;

— en même temps, reconnaissez bien à quelles parties du corps correspondent les émotions principales (si l'angoisse vous donne l'impression de resserrer vos poumons, reconnaissez-la, puis relâchez en expirant, si vos jambes se crispent, reconnaissez aussi quelle est l'émotion, et détendez) ;

— à force de pratique, vous constaterez que vous trouvez vous-même le souffle et le mouvement qui vous détendent au moment où vous sentez la tension. C'est un travail assez long et délicat, mais vous verrez qu'ensuite vous pourrez très facilement l'appliquer dans votre vie quotidienne.

S'adapter aux automatismes de votre interlocuteur

Que vous entamiez une négociation d'affaires ou une négociation affective, vous avez en face de vous quelqu'un qui, lui aussi, a un automatisme de comportement.

On a souvent tendance à croire que les autres n'ont pas les mêmes problèmes que soi et on néglige complètement l'aspect caché, invisible, de leur personnalité. C'est une erreur, tout bon négociateur devrait le savoir et devrait avant tout «sentir» la personne avec laquelle il parle. Il ne s'agit pas bien sûr de deviner l'autre pour prendre de l'ascendant sur lui. L'ascendant, le pouvoir, le côté «je vais le manipuler» sont de l'anti-négociation totale. Sauf dans les cas extrêmes que nous avons vus. Il s'agit au contraire de percevoir nettement la personnalité de l'interlocuteur pour éviter de se laisser gagner par des émotions négatives qui parasitent la bonne marche d'une négociation.

Après avoir lu les chapitres précédents, vous pouvez à présent définir votre *automatisme de comportement* et le corriger. Nous allons maintenant apprendre à découvrir quel est l'*automatisme de comportement* de vos interlocuteurs.

Chez vos interlocuteurs, vous trouverez, tout comme en vous-même, les cinq principaux automatismes :
1. passivité
2. agressivité
3. angoisse
4. outrecuidance
5. fatalisme

Vous apprendrez à mieux les repérer et à y répondre en aiguisant votre sens de l'observation.

Si votre interlocuteur a l'automatisme de la passivité :

— il vous écoute longuement ;
— quand il prend enfin la parole, son discours est assez complexe : il cherche souvent ses mots, fait toujours référence à ce que vous avez dit. Ou bien il vous coupe brusquement la parole, tentant de s'affirmer coûte que coûte et pas toujours à bon escient ;
— généralement, vous avez eu du mal à l'amener à dialoguer enfin avec vous. Il avait toujours un prétexte pour retarder la négociation ;
— il est aimable, presque trop. Ou alors il est un peu grognon, c'est sa façon de se composer une défense ;
— il a souvent un sourire d'ange, et on peut être grisé d'être écouté par quelqu'un d'aussi paisible et réceptif ;
— c'est très difficile d'obtenir du concret avec lui. Il donne l'impression de s'être mis d'accord. Puis deux jours plus tard, on s'aperçoit que tout est à recommencer ;
— il se peut finalement que tout se passe bien. Mais si ça va mal, vous aurez l'impression d'avoir été floué ;
— il a généralement du charme, mais les entretiens s'éternisent ou alors tournent court. Il donne l'impression de s'en remettre complètement à vous, ce qui est souvent agaçant.

● **Comment procéder :**
— forcez-le aimablement mais fermement à en ve-

nir aux choses concrètes. Soyez précis pour l'obliger à suivre votre exemple. Utilisez des phrases telles que : «il s'agit à présent de définir les trois points principaux», ou «nous ne disposons pas de beaucoup de temps, essayons de sérier le problème», ou «prenons un rendez-vous ferme pour en terminer définitivement»;

— ne vous laissez pas gagner par l'agacement si vous vous sentez englué par ce charme insidieux. Cela ne ferait que traumatiser ce «passif». Revenez obstinément au sujet, attirez son attention, posez-lui des questions;

— confiez-lui des actions à accomplir immédiatement. Evitez les projets à longue échéance;

— vous pouvez si vous en avez envie adopter définitivement avec lui le rôle de celui qui décide une bonne fois pour toutes. Mais si vous n'aimez pas les rôles autoritaires, faites-le lui comprendre en le responsabilisant. Phrases qui produiront un impact : «la décision est de votre ressort à présent, je vous en laisse juge», ou bien «j'attends que vous me fassiez part de votre projet définitif»;

— dites-vous bien qu'il est toujours agréable de traiter avec un passif, car, même si on perd du temps, les choses finissent quand même par s'arranger. D'ailleurs vous pouvez lui faire confiance : il est peut-être un peu négligent, mais rarement malveillant.

Si votre interlocuteur a l'automatisme de l'agressivité :

— vous vous sentez certainement mal à l'aise avec lui, à moins que vous ne soyez vous-même agressif, auquel cas il risque d'y avoir de l'ambiance...;
— il prend toujours la parole, vous la laisse rarement. Ou alors, plus sournoisement, il agresse sans en avoir l'air, avec des remarques placées au moment qui vous désarçonne;
— il est décidé, parfois colérique, toujours dynamique. On sent qu'il connaît son sujet à fond. Et s'il ne le connaît pas, il «fait comme si»;
— son débit de voix est net, son timbre souvent grave;
— il ne laisse rien passer et réagit toujours aux choses qui lui déplaisent;
— il mène rondement l'entretien. On ne perd pas de temps avec lui, ou s'il fait traîner, c'est parce qu'il y voit un avantage.

● **Comment procéder** :
— ne vous laissez pas démonter. N'hésitez pas;
— mais ne vous mettez pas en colère non plus. (A moins que vous n'aimiez les atmosphères de drame, ce qui peut être une forme de négociation);
— ignorez l'agression. Ça n'est pas toujours facile mais c'est très efficace. C'est d'ailleurs la base des anciennes techniques orientales de combat comme l'aikido : quand l'adversaire fonce, on esquive et l'adversaire ne trouve plus que le vide devant lui. Employez le même procédé avec un agressif, il se calmera;
— et surtout, donnez-lui confiance en vous. Au

fond, c'est parce qu'il a peur qu'il agresse. Sachez-lui prouver que vous n'avez rien de redoutable, et efforcez-vous de créer une ambiance détendue.

Si votre interlocuteur a l'automatisme de l'angoisse :

— il est flou ou trop saccadé;
— il est difficile de suivre le fil de son discours;
— il a l'air mal à l'aise, et on ne comprend pas pourquoi;
— sa nervosité peut se transformer en agressivité, mais c'est tout à fait involontaire;
— il arrive en avance ou en retard au rendez-vous.

● **Comment procéder** :
— la chose fondamentale à faire est de le sécuriser et de le mettre à l'aise. Faites-le rire de sa propre angoisse. L'humour est ce qui convient le mieux à un angoissé. Mais ne lui donnez pas non plus l'impression que vous êtes paternaliste, ça l'angoisserait encore plus;
— s'il vous met de mauvaise humeur et que vous n'avez pas envie de jouer les saint Bernard, réfrénez quand même votre colère. Et passez uniquement aux problèmes concrets : cela lui remettra les pieds sur terre. Enumérez les problèmes, envisagez les solutions, demandez-lui son avis, bref, occupez-le. Il se concentrera sur le problème et se détendra.

Si votre interlocuteur a l'automatisme de l'outrecuidance :

— il se peut qu'il ait le bagout d'un vendeur de voitures d'occasion. Dans ce cas, on le reconnaît tout de suite. Mais il n'est pas toujours aussi caricatural. Il peut aussi cacher son jeu. On peut le confondre avec un passivo-agressif;

— il est généralement bavard, à moins que sa tactique ne consiste à doser savamment mutisme et formules choc;

— il lui arrive d'être «à côté de la plaque» et d'avoir des réactions psychologiques erronées;

— il est susceptible, mais le dissimule;

— vous avez souvent l'impression qu'il vous manipule, mais parfois vous ne vous en rendez pas compte, quand il s'y prend bien.

● **Comment procéder** :

— d'emblée, faites-lui comprendre que pour vous la négociation n'est pas une relation de manipulateur-manipulé mais un entretien censé amener un accord valable pour les deux parties. (A moins que vous ne soyez ravis par la négociation style souk ou foire à la brocante, ce qui est parfaitement votre droit);

— évitez de le laisser développer ses pensées dans leur moindre détail. Ce qui compte, c'est d'éviter les palabres interminables;

— n'hésitez pas à montrer que vous avez des désirs, des besoins et des projets très précis et très fermes;

— faites-lui comprendre aussi que vous avez de la personnalité et de l'autorité;

— contraignez-le à «dévoiler ses batteries»;
— soyez rigoureux dans toutes les décisions que vous prendrez ensemble;
— souvenez-vous qu'il est assez malléable et forge son attitude selon l'ambiance du moment. Donnez l'exemple dans le sens que vous désirez, il y a de fortes chances pour qu'il le suive.

Si votre interlocuteur a l'automatisme du fatalisme :

— c'est difficile de reconnaître du premier coup un fataliste car son attitude demeure intérieure, et il faut être assez attentif pour l'identifier;
— comme le passif, il est souvent évasif. Il donne l'impression de ne pas être vraiment concerné. Il joue le jeu de son mieux mais il manque toujours le petit quelque chose qui déclencherait vraiment l'impression de plénitude que donne une négociation réussie;
— son automatisme n'engage que lui, car généralement, une fois lancé dans la négociation, il oublie son fatalisme, qui ne le reprend que par à coups...

● **Comment procéder** :
— l'essentiel est de le motiver en lui donnant confiance, non seulement en lui-même, mais en la valeur du projet que vous négociez ensemble. En somme, vous avez intérêt à avoir en face de vous une personne aussi concernée que vous l'êtes;

— votre attitude décidée, optimiste, aventureuse, peut, à elle seule, le stimuler et le faire passer à l'action. En fait, il ne demande pas mieux que de trouver une réelle motivation ;

— s'il s'amuse, s'il se plaît avec vous, ce sera très agréable de négocier avec lui. Pour une fois, il sera enchanté de s'amuser, de prendre goût à une négociation ;

— mais si vos efforts ne servent à rien et que votre fataliste demeure réticent et évasif, tant pis. Après tout, c'est son problème, pas le vôtre.

Pour terminer, je vous propose un exercice à faire, quel que soit votre automatisme de base. Or je pense que l'art de la négociation passe aussi par une connaissance approfondie de soi-même. Plus on peut pratiquer cette connaissance de soi, plus on y trouve plaisir. Etudier par le détail ses propres réactions est à la fois enrichissant et épanouissant. C'est pourquoi vous pourrez pratiquer l'exercice suivant si vous voulez comprendre à fond comment fonctionne votre automatisme et comment vous pouvez le dépasser.

Exercice de déblocage de son propre automatisme

Installez-vous confortablement devant un grand miroir, de préférence assis sur une chaise.

Commencez par fermer les yeux et concentrez-vous sur l'automatisme de base que vous avez reconnu en vous lorsque vous êtes en situation de négociation.

Revoyez une situation récente dans laquelle vous avez négocié sans vous dégager réellement de votre automatisme.

Rouvrez les yeux.

Commencez à parler, en retrouvant les phrases-clés qui émaillaient votre discours, au moment où votre automatisme était le plus parasitant. Par exemple, si vous êtes fataliste, vous avez peut-être prononcé une phrase comme : «Après tout, on peut faire comme vous le désirez, cela ne me posera pas de problème.»

Ensuite, et c'est là le moment le plus délicat, projetez-vous en pensée dans le miroir, et donnez-vous la réponse de la même manière. C'est-à-dire qu'en face de vous, votre reflet vous répond, mu par le même automatisme.

Vous voyez que vous pouvez alors ressentir complètement l'impact de votre attitude en la reflétant devant vous.

Observez vos réactions. Imaginez l'effet que ces phrases produisent sur quelqu'un.

Accentuez au maximum le fatalisme de vos propos, tout en continuant à les observer.

A présent, imaginez ce que vous pouvez dire lorsque vous n'êtes plus dans votre automatisme. Prenez le parti opposé à celui que vous aviez pris, inventez d'autres phrases, créez un discours nouveau. Laissez-vous aller à inventer quelque chose d'autre...

Vous constaterez certainement que cet exercice vous amène à trouver une autre dimension en vous, et, tout en débloquant votre automatisme habituel, vous permet de trouver d'autres comportements, d'autres attitudes que vous n'auriez pas soupçonnées.

Le même exercice peut aussi se pratiquer en inversant les rôles. Par exemple, vous vous apercevez que vous avez du mal à négocier avec une personne qui est du type agressif.

Installez-vous sur une chaise, mais ne vous mettez plus devant votre miroir, posez une autre chaise, vide celle-là, devant vous.

Imaginez la personne en face de vous.

Commencez à lui parler comme vous l'avez fait dans la réalité.

Imaginez ses réactions, entendez-la vous répondre comme elle l'a fait.

Voyez ce que ses réactions provoquent en vous.

Répondez-lui en observant à quel moment cela vous fait retomber dans votre automatisme.

Continuez jusqu'à ce que vous vous sentiez le plus neutre possible.

J'insiste beaucoup sur la compréhension de nos automatismes et de ceux de nos interlocuteurs, car je suis persuadée qu'il nous reste toujours quelque chose à découvrir dans ce domaine. De plus, une fois qu'on a reconnu son automatisme, on est parfois tenté de croire qu'on l'a modifié définitivement et que c'est une chose réglée. Or, ce n'est pas vrai. Selon les circonstances, nos états d'âme, notre humeur, nous retombons souvent sans nous apercevoir dans un de ces automatismes, et nous sommes alors étonnés de constater que notre communication avec l'autre est défectueuse. Combien de négociateurs avertis, rompus à *l'art de la négociation*, tombent dans ce piège.

C'est pourquoi vous pourrez toujours avoir recours à une sérieuse analyse de l'inter-relation de votre automatisme avec celui de l'autre s'il vous arrive de vivre des négociations qui ne vous satisfont pas. C'est souvent là que vous trouverez la solution à votre problème. Car négocier, c'est aussi savoir se remettre en question soi-même, savoir faire table rase de ses idées reçues, pour pouvoir agir librement, avec aisance et dynamisme.

Et maintenant...

... Je serais tentée de dire : à présent que vous connaissez à fond la technique de la négociation, le plus important reste à faire. Il reste à l'intégrer dans votre vécu, au point de l'oublier.

En effet, comme tout art, *l'art de la négociation* passe d'abord par une technique sûre et qui a fait ses preuves. Naturellement, pour connaître cette technique, il faut l'étudier, puis la pratiquer en l'appliquant. Votre vie fourmille d'occasions de la mettre en pratique, de vous familiariser peu à peu avec toutes ses subtilités, de la modifier selon votre tempérament, vos interlocuteurs, les circonstances.

Mais je vous souhaite de ne pas rester au stade de la technique pure. La technique est une structure solide, qui demeure indispensable. Mais la pratique doit aller au-delà de cette structure. C'est pourquoi je vous conseille d'en intégrer vite et bien tous les principes, pour ensuite trouver votre liberté de création à travers cet art. Je connais un exemple vivant de cette faculté de négocier librement : il s'appelle Jean-Paul, il a environ trente ans, et tout semble lui réussir. Je l'ai vu obtenir nonchalamment, entre la poire et le fromage, un budget important pour une campagne de publicité aux Etats-Unis (il est agent publicitaire), et pas une seconde je n'avais eu l'impression d'assister à un déjeuner d'affaires. Je l'ai vu également convaincre sa femme d'inviter l'oncle André à passer quinze jours de vacances chez eux (chose qui, au départ, semblait horrifier sa femme). Et j'ai pu constater que le séjour de l'oncle André se passait en plus sans problèmes et sans tensions, toujours grâce à Jean-Paul. Mais quand on demande à Jean-Paul comment il fait, il ne comprend pas :

— Comment je fais quoi? s'étonne-t-il.

Si on lui explique les raisons de cet émerveillement devant sa facilité, cela le fait rire, et son explication est la suivante :

— C'est très simple : je ne pense à rien, et je fais selon ce que je ressens au moment où ça se passe.

C'est à mon avis une excellente définition de ce à quoi il faut parvenir. En effet, dès que vous en avez intégré les principes essentiels, la négociation deviendra pour vous une manière de manier avec fluidité, sensibilité et succès tous les problèmes relationnels qui se posent à vous. Et c'est alors que vous pourrez laisser parler votre intuition, votre sens du rapport humain et votre intelligence.

Il ne faut pas oubliger que l'art de la négociation est aussi celui de *l'échange*. Négocier, c'est échanger. Autant dire que cette notion remonte à très loin dans notre histoire. Cet échange peut se passer d'une façon plus ou moins primitive : observez les très jeunes enfants dans un square, par exemple, ou dans un jardin d'enfants. Deux d'entre eux convoitent une petite auto. Le plus rapide s'en empare et commence à jouer avec elle. Il sait très bien que son copain la désire, mais il fait comme si de rien n'était. L'autre finit généralement, au bout d'un moment, par vouloir s'en emparer. Comme il est encore assez primitif, il va employer des moyens brutaux, il va saisir l'objet brusquement, ou taper sur son adversaire pour lui faire lâcher prise. L'autre va réagir plus ou moins violemment selon son caractère. Quoi qu'il en soit, un échange a eu lieu : deux personnes intéressées par un même projet, mais ayant des intérêts différents, ont confronté leur point de vue. Au stade des enfants, l'échange reste purement physique, car le langage n'a pas sa place dans la négociation. Ce n'est qu'en évoluant, qu'en se «civilisant» que nos négociations vont prendre une tournure élaborée, et s'éloigneront, du moins dans leur forme, de ce rapport de forces évident et brutal qui était à leur base.

Négocier, c'est aussi communiquer. A tous les stades d'une négociation, que fait-on, en réalité? On communique avec l'autre. On échange des perceptions, des sentiments, des impressions et des émotions. On lui communique nos désirs, nos volontés, nos intérêts et nos impératifs. C'est une façon de passer perpétuellement de nos impressions profondes à l'expression de celles-ci. C'est pourquoi rien n'est jamais fixe ni rigide en ce qui concerne la négociation.

Les circonstances, les situations et les êtres humains sont des choses complexes et fluctuantes. Vous pouvez arriver sûr de vous à une négociation, ayant préparé à fond le dossier, étudié les intérêts, les motivations et les faits objectifs avec minutie... pour vous apercevoir que les événements prennent une autre tournure, et qu'il est maintenant préférable d'improviser... Dans ce cas, si vous vous agrippez à votre technique, à vos principes de base et à vos règles essentielles, vous ne vous tromperez pas, certes, mais vous aurez un peu perdu l'occasion d'ouvrir une autre réalité, de trouver une meilleure création... C'est pour cette raison qu'il est très important de savoir aussi laisser parler son instinct et son intuition sans crainte. L'irrationnel a aussi sa place dans de nombreuses situations. C'est pourquoi, d'ailleurs, on doit posséder une technique : sans elle, l'irrationnel nous submerge et provoque des conséquences pénibles. Mais si, trop consciencieux, on est comme hypnotisé par sa propre technique, on jugule l'irrationnel, qui se venge en rétrécissant nos possibilités de réussir. Le plus vous serez maître de vous-même, le plus vous pourrez trouver une liberté, une facilité qui vous feront improviser selon ce que vous «sentirez» de la situation.

J'en ai eu la preuve flagrante un jour où je devais rencontrer un monsieur très important pour un contrat d'édition tout aussi important. Au téléphone, le monsieur était très intimidant, et très sérieux. J'avais minutieusement préparé un dossier, scruté tous les arguments, fait l'exercice des rôles pour me préparer et je me trouvai au rendez-vous bien décidée à jouer un jeu extrêmement sérieux.

Et puis, après avoir parlé quelques minutes avec ce monsieur si sérieux, j'ai soudain eu l'intuition qu'en fait, sous cette apparence austère, le monsieur n'avait qu'une envie : s'amuser, rire, sortir de ce rôle si important et si sérieux. Et, sans réfléchir, j'ai parlé de tout à fait autre chose que de notre contrat et de fil en aiguille, on s'est amusé comme des fous à dire des bêtises. Le monsieur était enchanté, enfin il sortait de sa routine, et moi j'étais ravie... Finalement, en quelques minutes, on a expédié le contrat tout à fait à l'amiable et on s'est quittés enchantés. Nous avons depuis conservé une très bonne relation de travail et trouvé à chaque fois qu'il le fallait des accords satisfaisants.

On ne peut pas tous les jours transformer l'ambiance d'une situation de négociation et en faire un échange drôle, imprévu et rempli d'humour. Mais quand cela arrive, c'est merveilleux et très tonique. Et, **pour que cela arrive,** vous devez toujours laisser en éveil votre intuition, cette bizarre petite voix intérieure qui vous soufflera de faire juste ce dont vous avez envie en transgressant toutes les règles et les principes...

Aussi, ne craignez jamais, quand vous êtes sûr de vous-même, que vous sentez la situation en mains, d'oser oublier vos principes pour laisser entrer, dans sa totalité, une création nouvelle... et inattendue. Car, *l'art de la négociation,* ne l'oubliez pas, est aussi celui du contact humain, donc de l'imprévisible, de l'intuition et de l'humour...

Table des matières

marabout service

L'utile, le pratique, l'agréable

Psychologie

Acupuncture et psychanalyse, Dr J.C. HACHETTE & Dr Ch. HOURI	MS 516	[06]
Se faire des **Amis,** F. SUZZARINI	MS 625	N
Etes-vous **auditif ou visuel?,** Dr LAFONTAINE et B. LESSOIL	MS 630	N
Le **bonheur en soi,** D. PELLETIER	MS 639	N
Le guide Marabout de la **chiromancie,** MIR BASHIR	MS 374	[06]
Comment leur dire, Dr MARCELLI	MS 431	[04]
Le guide MArabout de la **communication facile,** M.J. ADLER	MS 626	N
Le **complexe d'Œdipe,** G. AZZOPARDI	MS 591	N
La **connaissance de soi par les tests,** T. DEPRE	MS 637	N
La **conscience du corps,** M. FELDENKRAIS	MS 540	[06]
Les **dessins d'enfants** et leur signification, A. OLIVERIO FERRARIS	MS 297	[06]
La **dynamique mentale,** CH. GODEFROY	MS 365	[07]
Vaincre la **dyslexie,** R.H. BORDESOULES	MS 500	[06]
Le guide Marabout de la **dyslexie,** P. LEUNEN	MS 542	[04]
Comment connaître son **enfant,** Dr A. RIDEAU	MS 438	[06]
Ecriture et personnalité, N. JULIEN	MS 575	[04]
Le livre des **extases,** E. ROSENFELD	MS 599	[06]
Comprendre les **femmes,** P. DACO	MS 250	[09]
Connaissez-vous par la **forme de votre visage,** L. UYTTENHOVE	MS 525	[04]
Frères et sœurs, B. MARTIN	MS 596	[04]
Le guide Marabout de la **graphologie,** A.M. COBBAERT	MS 337	[06]
La **lecture rapide,** F. RICHAUDEAU	MS 102	[07]
Le guide Marabout de la **mémoire,** F. SUZZARINI	MS 616	N
Les voies étonnantes de la **nouvelle psychologie,** P. DACO	MS 480	[09]

Vie quotidienne

Achevé d'imprimer
sur les presses de
SCORPION,
Verviers
pour le compte des
Nouvelles Editions Marabout
D. mai 1984/0099/90
ISBN 2-501-00578-3

40 **3654** 7.